A GRANDE ILUSÃO

Luiz Fernando Emediato

A GRANDE ILUSÃO

CRÔNICAS

GERAÇÃO

Copyright © 1992, 2021 by Luiz Fernando Emediato
3ª edição – Julho de 2021

Grafia atualizada segundo o Acordo Ortográfico da Língua Portuguesa de 1990, que entrou em vigor no Brasil em 2009

Editor e Publisher
Luiz Fernando Emediato

Diretora Editorial
Fernanda Emediato

Assistente Editorial
Ana Paula Lou

Capa, Projeto Gráfico e Diagramação
Alan Maia

Ilustrações
Hermes Ursini

Ilustração da página 218
Júlio Cesar Minervino

Fotografias
Arquivo pessoal do autor

Preparação de texto
Hugo Almeida

Revisão
Josias A. de Andrade

Paratexto
Maria Antonieta Antunes Cunha

Dados Internacionais de Catalogação na Publicação (CIP) de acordo com ISBD

E53g   Emediato, Luiz Fernando
          A grande ilusão / Luiz Fernando Emediato. -- Geração Editorial, 2021.
          272 p. : 13,5cmx 20,5cm.

          Inclui índice.
          ISBN: 978-65-5647-024-5

          1. Literatura brasileira. 2. Crônicas. I. Título.

2021-821   CDD 869.89928
                                             CDU 821.134.3(81)-94

Elaborado por Vagner Rodolfo da Silva - CRB-8/9410

Índices para catálogo sistemático

1. Literatura brasileira : Crônicas 869.89928
2. Literatura brasileira : Crônicas 821.134.3(81)-94

GERAÇÃO EDITORIAL
Rua João Pereira, 81 – Lapa
São Paulo – SP – CEP: 05074-070
Tel.: +5511) 3256-4444

Impresso no Brasil
Printed in Brazil

Este livro é para
Bert Wills, meu leitor, *in memoriam*;
para Maria Antonieta Antunes Cunha,
que olhou de forma especial para aquele menino;
e para Cândida, onde estiver.

SUMÁRIO

Reapresentação 11

1
EM FAMÍLIA

Meu pai 19
O maravilhoso dia em que morri 24
Meu velho tio jovem 33
Naquele tempo 37
Meus filhos 43
A natureza das coisas 47

2
INTERVALO
30 anos depois

Música de anjos, homens e deuses 55
Sábado solitário 60
Domingo cinzento 63

3
QUERIDOS LEITORES

Queridos leitores 73
Deus 77
Caso de polícia 81
Fratura exposta 86
Queridos leitores 2 90
Voltei 95

4
PESSOAS

Bem-vindo à vida, irmão! 103
Minha querida Brigitte 108
Sai dessa, Rita! 112
Herdeiros do nada 117
Um homem bom 121
A solidão do criador 126
O dia em que tentamos salvar a presidente
da República e empurrei o escritor
Raduan Nassar numa cadeira de rodas 130

5
CAMINHOS

Entre a loucura e o sonho 139
O quarto do silêncio 143
As ilusões perdidas 147

A caminho de Samarcanda 151
Os amargos e alegres tempos da ditadura 156
A grande ilusão 161
O sentido da vida 165
Sonhos 168

6
DEVANEIOS

Sangue, sangue, sangue 177
Crianças feridas 181
História de um manifesto 186
A face oculta da Lua 191
Somos todos assassinos 196
Balada triste 200
Caçadores do cometa perdido 204
Como nasce um escritor 207
O filho 211
Felicidade 219

SOBRE O AUTOR
Luiz Fernando Emediato, uma vida plena 225

UM ESTUDO DA OBRA
Em busca do sonho, das utopias e da felicidade .. 257

Reapresentação

De 1986 a 1988 fui editor do Caderno 2, primeiro suplemento de cultura e variedades do jornal *O Estado de S. Paulo*, e ali publiquei quase uma centena de crônicas, das quais 48 foram editadas depois no livro *A grande ilusão*, que o MEC distribuiu para bibliotecas escolares em 1997. Passados 23 anos, e com o advento das redes sociais, vários dos adolescentes que tiveram acesso ao livro — e agora estão adultos, mas ainda jovens — passaram a escrever para mim contando como tiveram suas vidas "transformadas" (é o termo que eles usam) por aqueles textos que sempre me pareceram demasiado singelos, às vezes piegas, retratos rápidos do cotidiano, de minhas dúvidas e de minhas atitudes diante da vida.

Sempre fico impressionado quando leio o que escrevem. É difícil imaginar a reação de quem vai ler o que escrevemos. Vivaldo Simão, 38 anos hoje, escritor, poeta e professor, tinha 4 anos quando comecei a escrever as crônicas e 14 quando achou o livro na biblioteca de sua escola em Oeiras, no interior do Piauí, em 1997. Escutem-no:

"Ouvia *rock*, era agnóstico (embora nem conhecesse esse termo), tinha ideias anarquistas, mas era cético demais para acreditar na beleza que seria o fim do Estado. Havia uma biblioteca em minha escola. A porta de entrada, que dava para o pátio, ficava fechada. O único acesso era pela sala dos professores. Raramente algum aluno se metia naquele ambiente. Eu era um dos que se aventuravam por ali. A diretora gostava de mim e me deixava à vontade até para fazer o próprio registro de empréstimo. Uma vez topei com um livro com uma borboleta na capa e fiquei tentando entender a relação entre aquela borboleta e o título do livro: *A grande ilusão*. Levei o livro pra casa sem nenhuma grande expectativa. Talvez esse seja o melhor caminho para ter gratas surpresas: foi o primeiro grande impacto da Literatura em minha vida. Pela primeira vez eu me vi espelhado nas palavras de um autor. Lê-lo me ajudou a organizar esboços de visões de mundo. Foi um alento saber que alguém além de mim amava a beleza da Bíblia e compreendia suas narrativas como fatos, não como religião. Sem saber, Luiz Fernando Emediato, além de apascentar minhas angústias, compartilhando inquietações comuns, serviu de guia para meu 'caminho de Santiago': ali foi a primeira vez que ouvi falar em

Kitaro, The Cure, U2 e Caio Fernando Abreu. Se um livro bom é aquele em que autor e leitor estabelecem um diálogo, aquela foi uma conversa dessas que deixam a gente cheio de epifanias."

Foi igual para a mineira Ana Flávia Souza, produtora cultural, 31 anos hoje, e que aos 15 anos fez o mesmo percurso de Vivaldo: entrou na biblioteca da escola, roubou o livro e... "pedindo licença para ser piegas, posso dizer que ali se fez um daqueles momentos que dividem nossa vida entre o antes e o depois (...) Posso dizer, sem exagero, que o livro de Emediato foi responsável por parte da formação da minha visão de mundo e a forma como eu encaro a vida".

Assim foi também para Leoclícia Alves, que encontrou o livro também aos 15 anos, na biblioteca de sua escola em Milagres, nos sertões do Cariri cearense. Leiam o que ela escreveu para mim:

"A borboleta azul da capa e o título me atraíram, levei o livro para casa e li de uma vez só. Foi um baque. Eu estava numa fase bem complicada de minha vida, sentia uma coisa estranha em relação ao mundo e em relação a mim. Eu não sabia definir o que era nem falar a respeito com as pessoas. Era uma sensação desoladora, como se um centro de gravidade me puxasse para baixo. Havia algo errado, mas o quê? E por quê? Minha mente era uma tempestade. Me lembro de minha insatisfação, da sensação de não me encaixar em nada."

Leoclícia, ainda adolescente, encontrou-me no antigo Orkut, predecessor do Facebook, ficamos amigos (amigos de verdade) e desde então sempre nos falamos. Ela tem 29 anos e é psicóloga em Joinville, onde trabalha como *ghost-writer* de autores brasileiros. Toca teclado, violão e canta. Desenha e pinta. Já fez alguns projetos para a minha editora.

Mas como *A grande ilusão*, afinal, interferiu de fato na vida dela? Assim: "Naquele livro estava a condensação de tanta coisa que eu não conseguia nomear... Era visceral, melancólico e absurdamente humano. As crônicas abordavam o cerne de tudo aquilo que me incomodava, o vazio das coisas. E havia a coragem... O autor era muito corajoso, nenhum tema o assustava. E então eu me senti absurdamente desperta, quase consolada. Havia no mundo alguém que sentia as mesmas coisas que eu! *A grande ilusão* foi um divisor de águas em minha vida. Naquela fase da minha vida, eu não sabia que as questões existenciais eram, de fato, a razão da minha desolação. O livro me ensinou a descobrir que apesar de tudo a vida vale a pena ser vivida."

Carlos Drummond de Andrade, poeta e cronista, escreveu que "leitor e eu formamos um bicho composto, uno e dividido, uma parte querendo engolir a outra". É verdade, mas no meu caso eu só tive alegrias ao longo dessas décadas em que adolescentes leram meus escritos, amadureceram e se tornaram meus amigos, pelas redes sociais e alguns até pessoalmente.

Durante aquele período e ainda hoje eu procurei e procuro, como escreveu o prefaciador da primeira edição do livro, José Nêumanne, poeta, romancista e jornalista, comover o outro com a minha própria emoção: "Este é um livro para ser lido com lágrimas nos olhos e um aperto na garganta, de emoção ou indignação".

Daquela coleção de 48 crônicas publicadas há mais de 30 anos, algumas ficaram muito datadas, mas para esta nova edição consegui selecionar 32, às quais acrescentei oito, escritas recentemente. Elas tratam — conforme uma nova divisão por blocos "temáticos" — de família, pessoas, dos próprios leitores com os quais dialogo, de sonhos, utopias, uma busca desenfreada e às vezes angustiante de um sentido para a vida, que haverá sempre de ter algum propósito, do contrário não valerá a pena ser vivida.

Esta edição revista e ampliada está sendo feita, mais uma vez, para estudantes, mas também para livrarias. Ela inclui um estudo da obra feito pela escritora Maria Antonieta Antunes Cunha que, por obra do destino, foi minha professora, em 1966, quando eu tinha 15 anos e ela 27. Naquela época ela foi, para mim, o farol que décadas depois acabei sendo para milhares de jovens como eu. Espero que esta edição continue seguindo a história das anteriores: seduzindo leitores pelo país afora e conquistando seus corações e mentes para a dura batalha da vida.

1
EM FAMÍLIA

Meu pai

Houve um tempo em que odiei meu pai. Eu era adolescente, um jovem triste com ideias suicidas e uma justificada revolta contra o mundo contraditório e injusto que só então começava a conhecer verdadeiramente. A descoberta da realidade foi, sem dúvida, um choque. E naquele tempo, por razões que só mais tarde pude compreender, eu odiei meu pai.

Meu pai era um homem gordo e aventureiro, desprendido da família, que gastou a melhor parte de sua vida correndo atrás de sonhos. Era um homem rude que arou a terra, plantou, colheu e perdeu. Escavou o solo atrás de ouro e diamantes e nada achou. Varou o mundo. Voltou de mãos vazias, mas sólido como um carvalho.

Em 1964, foi expulso de Brasília — para onde tínhamos ido, em busca da terra prometida —, acusado de subversivo, janguista e comunista, ele que de política entendia tanto quanto a maior parte dos pobres e desinformados brasileiros. De desgraça em desgraça, meu pai acabou sem a família, separado da mulher e dos filhos, vendendo churrasquinho, doente e solitário numa rua do interior de Minas. (Suely, minha irmã, na velhice o acolheu em casa e cuidou dele até o último dia de vida.)

Foi então que aprendi a amar meu pai. O que teria acontecido entre nós?

Hoje, distanciado de tudo aquilo, e com marcas tão dolorosas quanto as que meu velho pai, sem dúvida, possuiu em todo o corpo, penso que ser pai é uma atividade amarga e doce, com toda a sua carga de alegria e tristezas, mas de qualquer forma algo maravilhoso, se temos sorte ou não fechamos os olhos e o coração às duras verdades da vida.

Devo ter odiado meu pai porque ele nos amava de uma maneira especial, tão especial, que poucos de nós, seus filhos, fomos capazes de compreender. Na infância, suas longas ausências e suas febris atividades o afastaram de nós, e, sem dúvida, tal carência marcou os pequeninos corações de seus filhos abandonados.

Acho que na adolescência tudo isso desaguou no ódio que sua grande ausência provocou. Mas, de repente, como numa iluminação, percebi que suas ausências não eram, na verdade, ausências: que, mesmo distante, ele, nosso pai, sempre estivera perto de nós, pois a presença dele era tão forte, que não necessitava de seu corpo próximo de nós para que a sentíssemos.

Costumamos admirar os homens quando eles alcançam grandes sucessos na vida, tornam-se brilhantes, famosos, legendários, heróis. Aprendi a amar meu pai quando percebi que ele sempre fracassara em todos os seus projetos e que seria sempre um anônimo e sofrido cidadão brasileiro. Nenhuma de suas quedas o abateu, nem mesmo as mais terríveis, e quando vi a patética força humana que emanava daquele corpo descobri, entre lágrimas, que meu pai era um grande homem. Ele nada conseguiu na vida, mas sua luta foi tão soberba, que seria impossível não o admirar.

Assim como o Quixote, meu pai pertence a essa classe de visionários sem os quais o mundo não anda. As pessoas comuns costumam considerar tais homens como loucos, ovelhas desgarradas, anormalidades. Pois eu digo que a História não se faz sem estes andarilhos anônimos, essas pequenas vidas que passam pelo mundo sem que ninguém perceba — mas é com seu anônimo esforço, multiplicado por um milhão, ou por um bilhão, que se faz a História de todos os homens.

Em 1980, escrevi um livro, *O Outro Lado do Paraíso*, e dediquei-o a meu pai. Foi o início da reconciliação.

É o livro da vida dele, um livro escrito por um filho emocionado que se redimiu daquele ódio escrevendo não só sobre o que tinha sido, mas também sobre o que poderia ter sido se os homens fossem mais francos e se entre eles houvesse diálogo para acabar com toda a dor, toda a incompreensão, toda a injustiça. (*Atualização: o livro foi filmado em 2012 por André Ristum e estreou em 2014. Um lindo filme.*)

Fui amigo de meu pai e ele foi meu amigo. Na solidão anônima de sua vida apagada numa cidade de Minas Gerais, ele continuou, até morrer (de manhãzinha, lendo numa cadeira de balanço), grande, poderoso, correndo ainda atrás de sonhos, miragens, delírios. Ilusões. Mas o que mais nos mantém erguidos num mundo em que só a utopia, e mais nada, merece verdadeiramente nossa atenção?

Tenho cinco filhos — Alexandre, Rodrigo e Fernanda, adultos; Antonio, adolescente de 15 anos, e Serena, 4 anos em 2020 — e fico imaginando o que Antonio e Serena pensarão de mim dentro de alguns anos, quando chegarem à idade madura e começarem a fazer perguntas mais profundas e intensas que as que já fazem hoje, tão adolescentes e infantis, mas tão certeiras. Assim como meu pai, também eu persigo minhas miragens, meus sonhos — também eu me afastei e me afasto inevitavelmente de meus filhos, subjugado pela força poderosa dos projetos quase irrealizáveis.

A carência humana é um poço sem fundo que jamais se completa.

Mas eu espero que, quando chegar o grande momento da verdade, e talvez só quando eu estiver bem velhinho, meus filhos saibam compreender-me, e eu saiba compreendê-los, como compreendi meu pai, e como meu pai me compreendeu — mas também espero que eles me compreendam mais cedo (e eu os compreenda), para que não soframos, ou soframos menos.

Agora, quando mais uma vez o comércio — que pensa mais em lucros que propriamente em amor — explora esse Dia dos Pais, eu me pergunto se tal data não pode ser também um pretexto (mais um) para que meditemos a respeito de nós mesmos, nossos relacionamentos, nossos erros, nossa intolerância, e descubramos o difícil caminho do amor.

É com palavras que se constrói o diálogo capaz de aproximar e de unir as pessoas. Por timidez, covardia ou preguiça, muitas vezes hesitamos em abrir para o outro nossos duros corações. Mas nada é mais rico e gratificante do que a compreensão que vem daí — do diálogo amoroso — e nada torna o homem mais feliz e rico do que a sinceridade, a descoberta de que nem tudo aquilo que sentimos ao longo de tantos anos era verdadeiro.

Sim, houve um tempo em que odiei meu pai. Foi fascinante descobrir que sempre o amei.

O maravilhoso dia em que morri

No seu leito de morte, cercada por todos os filhos, minha mãe, depois de 80 anos bem vividos, num misto de sofrimento e prazer pelo que a vida lhe dera, olhou-me bem nos olhos, esticou para mim o dedo indicador magro e pontudo e disse:

— Cuidado, você quase morreu. Pode ser o próximo.

Era a noite do dia 4 de setembro de 2014 e eu ia fazer 63 anos no dia seguinte, mas minha mãe morreu naquela mesma noite, triste e cansada, mas serena e tranquila. Ela passara seus quatro últimos anos fazendo diálise peritoneal, e, no quarto ano, sua qualidade de vida deixou-a tão abatida, que ela reuniu os oito filhos, nos olhou com olhos mortiços, o rosto tão pálido e com voz firme determinou:

— Não aceito mais isso, quero morrer.

Em julho daquele mesmo ano, num domingo frio e solitário em minha imensa e vazia casa na Serra da Cantareira, ao norte da capital de São Paulo, eu ardia de febre na cama quando Marcelo Chagas, o caseiro, invadiu meu quarto com um termômetro, aferiu minha temperatura, debaixo de meus irados protestos, e anunciou:

— Você não é assim. Vou te levar no pronto-socorro.

Protestei, disse que era apenas uma gripe e tentei expulsá-lo do quarto, mas, quando dei por mim, já estava na sala de espera de uma unidade de pronto atendimento do Hospital Albert Einstein, no bairro de Perdizes, aguardando o resultado dos exames e vendo as notícias no celular. Eu me sentia muito bem e o caseiro haveria de se ver comigo no dia seguinte.

Ouvi um médico pedindo uma ambulância ao telefone e um resto de frase: "... sim, isso mesmo, um idoso vermelho chocado".

"Idoso vermelho chocado." Olhei em volta e não vi ninguém, não havia quase ninguém doente naquele domingo, mas o médico veio até mim e perguntou:

— Tem algum parente que possa vir se responsabilizar pelo senhor?

O idoso vermelho chocado era eu.

Minha filha Fernanda, que morava no bairro, chegou em 15 minutos, e de repente uma ambulância zunia pelas ruas e avenidas.

Às 21 horas, pela primeira vez na vida dentro de uma UTI, eu que nunca nenhuma doença tivera, uma médica baixinha, sorridente e gorducha informou:

— Senhor Luiz, já lhe demos cinco litros de soro, o senhor está com soro nos dois braços, sua pressão não sobe, então vamos ter que lhe dar noradrenalina na jugular, com licença.

Ela meio que subiu na maca, quase se deitou sobre meu corpo, e com seu horroroso bom humor anunciou, como se fosse algo lindo de se ver:

— Mas o senhor é um atleta! Tem músculos poderosos no pescoço, a agulha nem entra!

Acordei, não me lembro quando, todo furado, nos braços, na jugular, uma sonda na bexiga, uma máscara no rosto, sem saber se era dia ou noite, e na baia do lado eu ouvia, como se fosse num pesadelo distante, um médico falando:

— Dona Antônia. Dona Antônia. Mexe o dedo. Dona Antônia, abre os olhos.

O corpo de Dona Antônia passou diante do meu, num dia que não sei se foi um dia, dois, três ou quatro depois, pois eu tinha perdido o controle de meu destino e nem me mexia mais, nem gritava de dor quando a enfermeira vinha colher sangue profundo em minhas artérias, com as agulhas roçando os ossos, ou tirar a máscara de oxigênio de meu rosto, ou os enfermeiros — sempre enfermeiros, nunca lindas enfermeiras —, vinham me dar banho, e me viravam de um lado para o outro, lavavam meu corpo inteiro, o pênis, o ânus, e aquilo ali não era nada mais que um corpo pronto para morrer a qualquer momento.

Como podia ser? Uns dois meses antes, em maio, eu estava passeando pela Promenade de la Croisette, durante o 67º Festival de Cinema de Cannes, na França, subindo e descendo morros desde nosso apartamento num bairro próximo, cruzando nas salas e nas festas com Nicole Kidman, Sofia Coppola, Willem Dafoe, Gael García Bernal, Julianne Moore, Quentin Tarantino e o simpático turco Nuri Bilge Ceylan, diretor do filme *Kis Uykusu* (Sono de inverno), que ganhou a Palma de Ouro.

Eu subia e descia os morros tossindo, assistia aos filmes tossindo, ia às festas tossindo e para mim estava tudo tão belo e tão fascinante, eu e o diretor André Ristum, brasileiro nascido em Londres e criado na Itália, onde foi assistente de Bernardo Bertolucci, eu ali no meio daquela gente limpa e linda, eu que fora um menino tímido e gago de calças rasgadas e pés descalços em Bocaiuva, no norte de Minas. André tinha dirigido um filme baseado em um livro meu, *O Outro Lado do Paraíso*, com a história daquele menino e seu pai desmiolado. E todos os dias era um peregrinar pelas distribuidoras, e eu tossindo, tossindo e tossindo, com uma bactéria perversa se multiplicando em meu pulmão esquerdo, e eu feliz no tapete vermelho, fotógrafos espocando seus *flashes* sem nem saber quem éramos. Se estávamos no tal tapete, alguém deveríamos ser, e tudo era tão divertido, mas, na verdade, eu estava morrendo — e não sabia.

Quando saí da UTI para o quarto, numa cadeira de rodas, com água na pleura e uma dor que só a morfina atenuava, a doutora Carmen Sílvia Valente Barbas, chefe da equipe que me salvou, olhou-me com seus olhos quase piedosos e disse:

— Você entrou aqui com uma pneumonia tão inacreditavelmente vasta que poderia morrer em menos de 24 horas. Não sei como ainda estava de pé. Qualquer um na sua situação teria ido ladeira abaixo, mas você foi ladeira acima. Sugiro tomar mais cuidado de agora em diante.

Fui salvo por não fumar, por fazer exercícios, por me alimentar bem, por ter o corpo "hígido", por ter apenas 62 anos, numa família em que os homens se recusam a morrer antes dos cem ou 104 anos, mas era melhor seguir os conselhos da doutora. Logo ela saiu, e o assistente dela chegou com uma espécie de fina adaga nas mãos e anunciou:

— Senhor Luiz, o senhor está com água na pleura. Ela pode ser absorvida pelo corpo, vai ser muito desconfortável. Eu posso tirar essa dor aguda bem rapidinho. É só enfiar esta seringa entre as costelas e puncionar o pulmão. Eu sugo a dor, e pronto.

Olhei ferozmente para o médico assassino e gemi:

— Pois o senhor suma daqui com essa espada, doutor, eu vou aguentar a dor, o senhor não vai me enfiar isso de jeito nenhum.

Meu deus do céu! Foram dias e noites de tormento. A cada tossida, meus pulmões pareciam explodir, meu único consolo era quando a fisioterapeuta loura, linda e angelical chegava com suas mãos de fada e voz de anjo, e me ajudava a respirar, e a caminhar pelos corredores, me amparando com o braço (eu nem precisava, mas como prescindir daquele toque, daquela leveza, daquela vida toda pulsando num corpo saudável, enquanto o meu parecia despedir-se deste mundo, como havia se despedido a pobre Dona Antônia, que não abria os olhos nem mexia os dedos?).

Eu me acostumei tanto com o hospital, que foi com tristeza que me despedi daquelas enfermeiras e dos enfermeiros admiráveis. Cheguei em casa, e nunca fui tão solitário. Deitado derrotado em minha cama, cheio de cansaço e desalento, pensei em minha infância pobre e feliz; em minha avó Maria Amélia, que me contava histórias e morreu dormindo; em meu pai, que morreu jovem, aos 80 anos, numa cadeira de balanço, lendo tranquilamente um livro chamado *Para onde vamos?*; pensei em meu avô Juca Feroz, que morreu gritando de remorso por ter supostamente mandado matar sei lá quantas pessoas; pensei nos inocentes civis mortos à bala ou facão e jogados em vulcões na guerra civil de El Salvador; pensei num índio que vi morrendo numa rede, às margens da Transamazônica, e concluí que a vida é isso mesmo, um fio que se parte, um elo que se desfaz; e prometi a mim mesmo seguir em frente com mais cuidado, mas aí adormeci. Quando o caseiro Marcelo surgiu para me acordar, eu gritei:

— Fora daqui, ave de mau agouro! — mas era uma brincadeira, é claro. Àquele homem simples, evangélico e temente a deus eu devia a vida.

Eu estava, portanto, saindo da fisioterapia, magro, quase esquelético, quando então, diante de mim, minha mãe me olhou diretamente com olhos pálidos, mas profundos, e disse aquilo:

— Cuidado, você quase morreu. Você pode ser o próximo.

Diante daquela mulher, que meu avô materno tirara do colégio interno aos 15 anos, para casar com meu pai, que ela nem conhecia; diante daquela mulher esquálida e macilenta, com cabelos ralos e olhos fundos, aquela mulher apenas 17 anos mais velha que eu, aquela mulher que eu deveria ter conhecido mais, amado mais, beijado mais, ali, diante dela, eu apenas sorri ternamente, passei a mão em seus cabelos, suspirei profundamente e disse:

— Calma, mãe, eu te prometo, vou cuidar de mim, não vou morrer tão cedo, não sou mais um idoso vermelho chocado.

Durante as oito horas seguintes, minha mãe ia e voltava da consciência, sustentada apenas por soro e morfina. Ela exigira morrer em paz, sem tubos, sem prolongadores de uma vida que ela vivera mal e bem, no meio de tantas aventuras, tanto sofrimento, mas também de grandes alegrias, e, quatro horas antes de perder totalmente a consciência e viajar para o mais escuro e desconhecido dos mundos, quatro horas antes de retornar ao Cosmos, onde a matéria de que somos feitos sempre existiu, existe e existirá, meu irmão Renato, confidente dela ao longo dos anos, em sua desvairada irreverência, perguntou, para escândalo de todos nós:

— E aí, mãe? Você, que rezou a vida inteira e agora está no bico do corvo, será que tem alguma coisa do lado de lá?

Minha mãe quase sorriu, mas não sorriu, apenas olhou para ele profundamente, como havia me olhado quando me apontou o dedo, e então fechou os olhos, cansada e desiludida, mas ao mesmo tempo plena e satisfeita, e disse apenas, num fio de voz:

— Acho que não tem nada não, meu filho. Mas viver valeu a pena. Todos os dias.

Morrer é assim. Às vezes, nem dói.

Meu velho tio jovem

Em Abaeté, no bravo oeste de Minas, morou um homem que enfrentou todas as tempestades, e aos cem anos, quando morreu (não de velhice, mas de acidente), era a antítese dos *punks*, dos *darks*, dos jovens e homens dos anos 80, 90 e de hoje, que passam a vida sem propósitos.

Ele era conhecido por Nicão, e quase todas as manhãs podia ser visto cruzando a cidadezinha de uma ponta a outra, para exercitar suas velhas pernas cheias de platina e parafusos, pois um dia ele caiu, quebrou os ossos e os médicos lhe deram apenas alguns meses mais de vida. Ele viveu mais uns 15 depois daquilo.

Tio Nicão vivia em Abaeté desde o século 19 (imagine, um homem dos anos 1800!), e poucas vezes ele deixou seu fantástico mundo perdido. Depois de ter cruzado rios com manadas de bois e varas de porcos, depois de ter enfrentado jagunços e perdido batalhas, ele ganhou uma, maior que todas — a batalha da vida, da sobrevivência num ambiente inóspito e cruel. Ele chegou a ser um homem rico, desses que ocuparam terras num tempo em que era praticamente impossível chegar até onde elas existiam, e depois, vencidos pela idade moderna, venderam tudo e ficaram a um canto, jogando gamão, sonhando com o passado, mas sem tirar os olhos do futuro. Pequenos seres anônimos que não se tornam exemplos para o capitalismo nem símbolos do homem novo. Apenas gente, gente perplexa diante de um mundo que não se chega a compreender inteiramente.

Ele tinha um sonho na vida: conhecer o Nordeste. Mas a cada ano adiava sua viagem, ele que jamais passou das divisas de Minas. Da última vez em que falou comigo desse sonho ele lembrou que tal viagem não faria mais sentido desde a morte de seu último companheiro, Juca da Cunha, com mais de cem anos. Também isso faz algum tempo. Quando, porém, eu deixava a sombria vida na cidade para visitar o fantástico passado daquele homem que me contava as mais absurdas histórias, o que mais me espantava eram seu otimismo, seus sorrisos debaixo dos cabelos brancos como o mais pálido algodão.

Aquele gigante assinava jornais e conhecia tudo o que se passava pelo mundo, e era com serena ironia que ele (nos anos 1980, quando o visitei pela última vez) falava dos *punks*, dos *darks*, os primeiros com sua rebeldia inútil, porque apenas destrutiva, os segundos com seu conformismo e seu desânimo pouco construtivos. Ele falava também dos jovens *yuppies*, essa terceira, quarta ou quinta onda juvenil, mais um modismo apenas, pode ser, mas também o reflexo de um comportamento típico dos que se cansaram de lutar e querem apenas viver bem com suas coisas, levar vantagem em tudo, certo?

Um dia escrevi em minha coluna no jornal que estava cansado de tudo aquilo, e que os leitores tivessem paciência com minha intolerância. Devia ser coisa da idade, a velhice chegando, a caduquice, o ranço de não mais compreender os jovens. Recebi cartas de conforto e telegramas cumprimentando — naquela época não havia *e-mail* nem WhatsApp.

Não, não é um velho ranzinza e caduco este que agora escreve. Apenas alguém que usou cabelos longos nos anos 70 e ainda hoje, às vezes, se esquece de cortá-los. Alguém que não gosta de usar gravatas quando isso não é absolutamente necessário, alguém que enfrentou as polícias dos generais Médici e Geisel, foi investigado, detido, interrogado e preso (por pouquíssimo tempo, teve sorte), decidiu ser escritor e jornalista e agora fica aqui arengando contra o conformismo.

Eu vivi o tempo de John Lennon e Bob Dylan, o tempo em que era ainda possível acreditar em alguma coisa, em qualquer utopia libertária que não conduzisse nem ao consumismo imperialista nem ao Gulag, à submissão do indivíduo diante do Estado totalitário e frio. O tempo, crianças, em que um jovem era mesmo rebelde, mas sabia viajar até pelos sertões — e não só pelos chás de cogumelo — em busca de sabedoria dos homens que chegam aos cem anos, como o tio Nicão e nos dão surpreendentes lições de vida. Sei que é difícil acreditar em algo sério hoje em dia — mas perder a esperança, meninos, é também desistir da vida, e isso não vale a pena.

Tio Nicão morreu na cama, aos cem anos e três meses, vítima de uma queda, com uma saúde de ferro, depois de rir muito das histórias que eu lhe contava e pensando sabem em quê? Em se casar, ele que teve tantas mulheres e não se casou com nenhuma. Mas sempre é tempo de se pensar no futuro — e ele, jovem aos cem anos, pensava.

Naquele tempo

Naquele tempo eu gostava de cortar manga com o canivete do meu avô e, não sei por que, meu irmão também gostava. Talvez ele gostasse por causa dos desenhos esquisitos esculpidos no cabo do canivete, talvez porque podia cortar a manga em grandes pedaços que a gente comia como manteiga, talvez por um motivo bobo qualquer — quem sabe?

Naquele tempo meu irmão, que era meu único irmão, gostava de todas as coisas de que eu também gostava. Ele gostava da minha mãe, gostava do meu pai, gostava do canivete do meu avô, e só não gostava do meu avô, mas do meu avô também eu não gostava. Era um velho grande e mau. Tinha matado gente. Castigava os empregados. Falava alto e sua cabeça era branca.

E eu pensava por que meu irmão não gostava de outras coisas, e tinha de gostar logo das coisas de que eu gostava; e gostava tanto, que acreditava serem estas coisas apenas minhas. Ninguém me dizia: olha, estas coisas não são só suas; ou: elas são suas e você pode possuí-las, mas lembre-se de que são também dos outros, e por isso devem ser compartilhadas.

Naquele tempo ninguém nos dizia nada. Vivíamos soltos pelos matos da fazenda, perseguindo patos, caçando minhocas, estripando rãs, esmagando formigas entre os dedos, até que a noite e o medo nos jogassem no pequeno catre onde nossos pequenos corpos dormiam cheios de silêncio e terror. Os fantasmas dos homens que nosso avô tinha matado rondavam as janelas. Um lobo uivava longe. Ninguém surgia para afagar nossas pobres cabeças enfiadas até o fundo dos travesseiros.

Eu me lembro do tempo das mangas. Eu estava lá, debaixo da mangueira, com o canivete do meu avô. E aí chegou meu irmão, assim como quem não quer nada, mas de olho em mim. Jogou uma pedra para cima, acertou uma manga, e ela caiu e ele pegou e disse: me dá o canivete. Eu disse: não. Me dá o canivete, disse ele outra vez. Só se for na sua barriga, eu disse então.

Meu irmão ficou por ali andando, de vez em quando me olhava de lado e repetia sempre: me dá o canivete. Eu disse: se eu der, você corta o dedo. Não corto, respondeu meu irmão. Corta sim, eu insisti, e depois quem apanha sou eu. Não dou. Me dá o canivete, ele dizia sem parar, me dá senão eu tomo. Então toma, eu disse, vem tomar, vem.

E ele veio. Avançou em mim, unhou meu rosto, me deu um chute na perna, cuspiu na minha cara, gritou e berrou chamando meu avô: venha ver, vovô, venha ver com quem está seu canivete. Eu via tudo vermelho, o caldo da manga escorrendo pela minha boca, vermelho como sangue, e o ódio crescendo dentro de mim como veneno.

Nosso avô gritou lá de dentro: que é isso, diabos, o que está acontecendo, filhos do capeta? Vê mulher, seus filhos estão se matando. Meu pai correu, e eu vi aquele homem correndo com a correia, deixei cair o canivete e pensei: não, não vou correr outra vez, não vou fugir. Meu irmão começou a gritar de dor, enquanto meu pai batia, e eu fiquei olhando, com as pernas trêmulas e os olhos arregalados, esperando a minha vez.

Quando ele começou a bater em mim, eu mordi os dedos sem dar um grito, e meu pai dizia: chora, seu vagabundo, chora! Mas eu não chorava, e, como eu não chorava, ele batia mais, e foi batendo; primeiro com a correia, depois com as mãos, e depois com os pés, gritando: chora, seu condenado, chora! Meu irmão fugiu correndo e minha mãe chegou também, gritando: para com isso, você vai matar o menino! Cala a boca, disse meu pai todo vermelho, chora, seu vagabundo!

Mas eu não chorei. Nem que ele me matasse, nem que ele me arrancasse os braços e as pernas, nem que ele me abrisse a barriga para ver as tripas, nem que ele me enfiasse pela terra adentro, ninguém ia me ver chorando, e, quando o meu avô chegou, também correndo para segurar meu pai, eu fiquei ali no canto gemendo, com os dedos na boca e morrendo de dor, mas chorar eu não chorei.

Porque eu chorava por dentro. Por dentro eu chorava lágrimas frias e muitas, porque eu queria chorar, eu queria chorar um século se preciso, mas não ali naquela hora, diante daquele homem que dizia ser meu pai. Eu sentia amargura e dor e ódio — ódio por meu pai, ódio por minha mãe, ódio por meu avô, por meu irmão e por mim mesmo — ódio, só ódio, um ódio que tinha um gosto amargo e duro, e que me fechava o peito, calava minha voz, me sufocava e me dava vontade de morrer.

Minha mãe me puxou pelo braço, buscou meu irmão, e dividimos então a mesma bacia com água e sal, onde lavamos na mesma água nossas diferentes feridas. Meu pai tinha batido com força, e todo o corpo ardia. Meu irmão chorava e minha mãe passava as mãos pelo corpinho dele, dizendo baixinho: não chore, meu menino, não chore, e xingava meu pai pelo exagero. E dizia: quando for para bater, pode deixar que eu bato; é preciso saber bater, não se pode bater assim com tanta força, nem deixar estas marcas. Que absurdo, esse homem parece um cavalo!

E então comecei a chorar. Eu olhava para minha mãe e para meu irmão e chorava, e não os via direito por causa das lágrimas; e por causa das lágrimas eu via que minha mãe tinha a cara feia e torta. Eu não chorava pela dor nem pelas marcas no meu corpo, o sangue, o sofrimento. Eu não chorava por isso. Eu nunca chorei por causa da dor, nem chorava alto, nem fazia escândalo. Para quê?

E agora eu chorava. Não aquele choro alto e escandaloso do meu irmão, não aquele choro cheio de palavrões e berros de minha mãe; era um choro baixinho e cheio de soluços, uma tristeza esquisita e fina que parecia nascer lá no fundo de mim e então essa tristeza saía aos poucos no meio dos gemidos, dos soluços e das lágrimas.

E ficamos assim, os dois, eu e meu irmão, chorando dentro da bacia de água e sal. Nossa mãe nos lavava, xingando sempre, e de vez em quando nos dava um safanão: cala a boca, cala, estão me deixando nervosa, já bateu e já doeu, não precisa chorar mais que já passou a dor, cala, cala, cala.

Eu não queria que ela me lavasse, mas o que é que podia fazer, se era nossa mãe e estava ali para isso? E então deixei meu corpo amolecer, e ela ia passando as mãos com a água e o sal, e então eu fechei os olhos e comecei a pensar nas mangas, nas árvores, nos passarinhos, nos pés de milho, nas nuvens e no céu.

O mundo ficou pequeno, e eu fui deixando de sentir as coisas. A voz de nossa mãe ficou distante, longe, longe, e foi me dando uma tonteira, e pensei que estava dormindo ou morrendo, quem sabe eu estava morrendo, quem sabe eu teria a felicidade de morrer? Mas eu não morri. Eu estava só me esquecendo de tudo.

E então o ódio acabou. Eu não conseguia mais sentir ódio por minha mãe, não sentia nada por ela. Também não estava com raiva de meu pai, nem de meu avô, nem de meu irmão. Eu não me importava muito de apanhar, afinal todo menino apanha, mas meu pai batia na gente como se quisesse matar. Mas agora não sentia nada, não sentia ódio, não sentia nada.

Até a dor eu já ia esquecendo. Não sentia mais as costas ardendo, os cortes nas pernas; e quando olhei para meu irmão na minha frente, todo molhado de água e lágrimas, as costinhas brancas avermelhadas pelos golpes, senti até um pouco de pena. Aí então foi que eu vi que afinal estava sentindo alguma coisa.

Não era ódio o que eu sentia. Não era dor, não era raiva, nem desprezo. Não. Era pena. Era pena e uma tristeza imensa por tudo aquilo. Éramos uns desgraçados. Meu avô, meu pai, minha mãe, ninguém tinha culpa por tanta desgraça. Tínhamos nascido assim, e assim éramos: uns desgraçados. Foi por causa disso, então, que eu chorei — de pena e de tristeza por causa de nossa desgraça.

Naquele tempo eu tinha seis anos.

Meus filhos

Olho para meus filhos pequeninos nestes anos 1980. Eles terão 20 anos no ano 2000 e 40 nos anos 2020 e penso: que mundo herdarão de nós? Será um mundo claro? Será escuro? Olho nos olhos de Alexandre e penso: correrá ele, como um cordeiro, atrás do Grande Chefe? Defenderá o mundo ocidental na guerra nas estrelas, tombará no Afeganistão lutando por utopias? Tocará gaita e guitarra, lembrando o velho e histórico Bob Dylan, o poeta dos anos 70? Berrará aos quatro ventos (se ainda houver ventos) o seu estéril desespero, como os lamurientos Smiths? Fabricará ruídos em computadores e se enriquecerá vendendo, como se fosse música, o som sintético das máquinas?

Não sei. Quem sabe? Rodrigo pergunta-me se Deus existe. Respondo: talvez sim, meu filho; talvez não. Quem sabe? Mas ele sem dúvida existirá se você precisar dele. Mas qual deus? O deus punitivo dos hebreus, o pai de Cristo? (Aquele Cristo tão doce e submisso, morto por nós sabe-se lá por que secreto desígnio?) O profeta Maomé, que abençoou espadas em nome de Alá, armou exércitos, conquistou cidades? Buda, para quem viver é sofrer, aquele sofrimento que resulta, vejam só, da paixão, daquela verdadeira sabedoria que consiste em renunciar o homem a si mesmo, até o aniquilamento? Escolha seu deus, meu filho: há muitos na face da Terra — do Sol, que os egípcios e os sul-americanos adoravam, a Baal, que para os semitas era também Hadad, deus da atmosfera, mas que para os hebreus não passava do nome de todos os falsos deuses. Cada um pinta como quer o deus dos outros.

O homem, Rodrigo, é o único animal que ri e chora. E também o único a saber de sua mais trágica condição: sua transitoriedade, sua inevitável caminhada na direção daquela senhora negra que desde o nascimento nos espreita: a morte. Faça o bem, entretanto, enquanto lhe dure a vida. Que nos resta, afinal, senão a possibilidade de morrermos tranquilos, sem remorso e culpa? Chore, sim, quando tiver vontade, mas ria também — não leve a sério aquele senhor escuro e borgiano que, na poeira dos tempos medievais, nos proíbe a alegria e o riso, que nos tornaria semelhantes ao macaco, nosso limitado ancestral.

Espero que meus filhos não tenham o amargo privilégio de possuir a seu serviço os seres prenunciados pelo cientista Brunetto Chiarelli, da Universidade de Florença, que anuncia a viabilidade da produção, em laboratório, de seres híbridos, cruzamento do espermatozoide humano com um óvulo de macaca. Ele acha que tais seres serviriam para os trabalhos pesados e humildes e também como "bancos de órgãos" para transplantes*. Pobres seres que virão para nos dar conforto: que tipo de sentimento eles terão diante de nossa crueldade?

É noite, é tarde — Fernanda dorme e sorri. Talvez sonhe com príncipes, fadas. Talvez não sonhe com nada. Talvez seja apenas feliz. Daqui a pouco será dia outra vez, mas que espécie de dia? Abrirei os jornais, e lá estarão dirigentes das grandes potências contando seus arsenais. Lá estará o presidente da República do Brasil anunciando outra vez alguma coisa que não resolverá os problemas sociais de nosso país rico de recursos e pobre de ideias. Lá estarão os ladrões de ontem instalados no poder roubando hoje como sempre. Lá estarão os demagogos, os oportunistas, os assassinos, os torturadores e os torturados. Lá estarão os avós, os filhos e os netos discutindo os mesmos

---

*História triste desenvolvida pelo escritor Prêmio Nobel Kazuo Ishiguro no livro — que virou filme — Não me abandone jamais, de 2005.

velhos problemas como se não fôssemos capazes, a perfeita criação de Deus, de encontrar nossa estrada nesse deserto de ideias.

Durmam, meus filhos, durmam. Daqui do meu canto, olho a escuridão lá fora e penso: sim, lá fora está muito escuro. Quem sabe um dia possamos acender a nossa débil luz no meio dessa rochosa e dura escuridão? Quem sabe? Quem sabe?

A natureza das coisas

Para Fernanda, minha filha

E lá vão eles caminhando pela praia: um homem na metade de sua vida e a menina de cinco anos. O sol está nascendo e espalha seus raios sobre a areia, gaivotas, conchas. O homem caminha ao lado da menina, e o sol projeta na areia duas sombras, uma grande, outra pequena.

O homem olha para o mar e pensa em coisas impróprias para a ocasião: o tempo, a morte, a solidão. E aperta com força os dedinhos da menina.

— O que foi, pai? — ela pergunta.

— Nada, filha — ele mente.

E andam.

Não há ninguém na praia a essa hora da manhã. O vento é frio, e a menina treme um pouco. Uma gaivota ergue-se da areia, alça voo, avança na direção do mar, arremete contra as águas, mergulha e sobe. No bico, um peixe. Pobre peixe. Mas a gaivota sobreviverá.

A maré lavou a areia, levando, não se sabe para onde, os detritos da humanidade: copos de plástico, latas, algodões, curativos, restos de pão e bolacha, desejos, ilusões. Mas devolveu algumas coisas: peixinhos mortos, conchas, algas, óleo, um tronco.

E a menina pergunta:

— Uma árvore, pai?

Uma árvore, ou o que foi dela. Um enorme tronco descarnado e morto, mas imponente e belo. O homem pensa que esse tronco deve ter vindo empurrado pela corrente marítima. De uma ilha próxima ou distante. Talvez da África. Enquanto caminha ao lado da menina, o homem imagina que há cem anos esta árvore pode ter crescido forte e verde na África, e então ela viu correr pelas cercanias bandos de antílopes fugindo de leões. E elefantes. E girafas. E gorilas que às vezes trepavam em seu tronco. E homens: às vezes, caçadores; às vezes, caçados.

A menina desprende-se das mãos do homem e corre. Suas perninhas frágeis avançam sobre a areia e ela ri. O sol arranca reflexos dourados de seus cabelos. O homem se enternece e pensa: isto é beleza.

Um avião solitário cruza o céu azul e risca nele uma linha longa e branca. Há homens dentro da máquina, pensa o homem. Aqui embaixo, um pescador com o dorso queimado pelo sol arrasta uma rede. Nada veio nela, além de lixo e algas — o mar foi ingrato nessa manhã.

Mas há peixinhos mortos na areia suja de óleo. O homem e a menina deixam a praia, chegam à calçada, cruzam a rua. Bares ainda fechados, lojas, bicicletas, automóveis. Civilização. O homem pede um jornal na banca.

Notícias, tragédias, corrupção, crises. E guerras. E morte. Os banhistas começam a chegar com seus sorrisos e suas carnes brancas, enquanto a menina ri e o homem conta os mortos da guerra Irã-Iraque. Tanques soviéticos no Afeganistão, assessores norte-americanos na América Central, Ollie North rindo para as câmeras e transformando-se num grande negócio, mísseis, ogivas nucleares, advertências sinistras: um cientista diz que o homem (nós) pode destruir o planeta 50 mil vezes em um segundo.

O homem olha para a menina e tem vontade de abraçá-la. Joga o jornal no lixo, toma-a pela mão e caminha de novo para a praia. Caminham bem perto da água, chutando as ondas. A menina fala sozinha e o pai pergunta:

— O que foi, minha filha?

Ela responde com outra pergunta:

— Quem faz a natureza, pai?

O homem não entende e pergunta de novo. Ela, com paciência, explica:

— Ora, pai, a natureza fez peixinhos, faz água, faz árvores, faz gente. Mas quem faz a natureza?

O homem lembra o avô morto e pensa em algo difuso e esquecido, quem sabe Deus. Mas o homem não crê e não responde — apenas olha para o mar, os peixinhos mortos, o grande tronco sobre a areia. A menina aperta sua mão, olha para os olhos dele e sorri maliciosamente:

— É difícil explicar, não é, pai?

E os dois caminham em silêncio. O sol projeta na areia duas sombras: uma grande, a dele; outra pequena, a dela. A grande, segundo a natureza, será a primeira a desaparecer, pensa o homem. Que pena. Que pena.

2
INTERVALO
30 anos depois

Música de anjos, homens e deuses

Há exatamente 60 anos, quando eu tinha nove anos e vivia uma infância desolada no casarão de meus avós maternos, algo aconteceu que mudou minha vida para sempre.

 Eu era um menino gago, tímido e branco enfiado em livros e solidão, e certa manhã, enquanto os pássaros piavam lá fora, no calor escaldante de uma manhã em Bocaiuva, no norte de Minas, eu vagava pelos quartos e salas cheio de tédio, quando, na sala que dava frente para a rua calçada de pedras escorregadias, vi uma vitrola, abri sua gaveta, que deslizou suavemente, como num sonho, e de lá tirei um disco chamado *Festival de Música Clássica Ligeira*, com um catálogo em que se explicavam todas as músicas, seus autores, suas audições, sua história neste mundo estranho e cruel.

Pus sobre o prato, suavemente, aquele disco negro cheio de surpresas e segredos, e desci com cuidado a agulha sobre a primeira faixa com a primeira música, a ária de abertura da ópera *Xerxes*, de Händel, que se tornou lendária como *O Largo*, embora seja um *larghetto*, e foi como se um anjo ou o próprio Deus (se existisse) em sua doçura cravasse um espinho pontudo e fino em meu inquieto coração.

Meu pai, como sempre, vagava pelo mundo com seus delírios; minha mãe, com seus tormentos, sumia pela casa; meu avô cuidava dos bois na fazenda; minha avó, pequena e mal-humorada, se trancava no quarto com suas novenas; e naquela casa enorme e vazia ninguém foi perturbar aquele menino magro e triste que, paralisado de espanto, ouviu uma voz aguda e angélica entoar durante pouco menos de quatro minutos mágicos a hipnótica e triste ária que no dia 15 de abril de 1738 não encantou ninguém, quando de sua estreia em Londres, apesar de interpretada com voz de anjo, ninfa ou fada pelo contratenor *castrati* Gaetano Majorano, conhecido como Caffarelli. Houve mais cinco apresentações, a última no dia 2 de maio e *Xerxes*, para desalento de Händel, ficou esquecida durante 186 longos anos, até ressurgir gloriosamente em 1924, em um festival na cidade de Göttingen, na Alemanha, quando seu autor era apenas um monte de cinzas em algum cemitério europeu.

Paralisado, lívido, entorpecido, como se tivesse tomado ácido lisérgico, ayahuasca ou psilocibina de algum cogumelo azul e mágico buscado nos pastos de meu avô, acompanhei de olhos fechados os 52 compassos, embalado pela voz de um contratenor cujo nome jamais lembrei. Nos tempos barrocos de Händel, árias como aquela eram cantadas por homens castrados na infância, para que suas laringes não crescessem e pudessem alcançar 3.4 oitavas, do Lá2 ao Ré6; e alguns deles conseguiam sustentar 156 notas em um só fôlego, para deleite das multidões de homens e mulheres, que os adoravam como *superstars*, e dos papas e reis que os patrocinavam; Felipe V, da Espanha, só conseguia ter algum alívio, na depressão que o matava pouco a pouco, ouvindo a voz do lendário e triste *castrati* Carlo Maria Michelangelo Broschi, o Farinelli.

Xerxes começava sua epopeia contra os gregos cantando seu amor, contemplativo e doce, à sombra de uma árvore, sem revelar sua verdadeira personalidade, despótica e cruel, enquanto mais à frente seus engenheiros construíam uma ponte ligando a Turquia à Europa. Por essa ponte passariam seus exércitos sanguinários, que lutariam implacavelmente contra os gregos.

Mas ali, naquela manhã de sol abrasador lá fora e a temperatura agradável da sala de meus avós, diante de uma brilhante vitrola RCA Victor com um cachorrinho no logotipo, eu viajava hipnotizado para o mundo mágico da música e do sonho, os olhos fechados, enquanto uma voz angélica falava em italiano que os ramos frágeis e belos de uma árvore amada permitiriam que o destino sorrisse para mim, sem que os trovões, os relâmpagos e as tempestades perturbassem a minha querida paz, sem que os ventos me profanassem com seu furor, pois em nenhum lugar do mundo poderia haver sombra de árvore tão querida, adorável e suave quanto aquela.

Anoitecia quando meu avô Simeão Emediato, filho da imigrante italiana Anna Giulia Immediato, que morreu jovem no parto de seu décimo primeiro filho, chegou da fazenda e encontrou aquele menino adormecido no chão, enquanto o disco girava sem parar com a agulha num único ponto. Deve ter sido com suavidade que ele elevou o braço com a agulha, parou o disco, desligou a vitrola, curvou-se e pegou nos braços fortes aquele menino frágil e leve vencido pelo cansaço e pelo maravilhamento, levando-o amorosamente para a cama, no silêncio de uma casa sem mãe e sem avó por perto, perdidas que deviam estar em seus próprios devaneios, a avó com seu rosário de rezas e dores, a mãe com sua solidão e amargor sem saber por onde o marido andava, neste mundo largo e imenso onde tanta coisa e nada acontecem ao mesmo tempo, sem que possamos entender inteiramente por quê e para quê.

No dia seguinte, ao acordar de manhãzinha com o ruído dos pássaros lá fora, o sol esgueirando-se sorrateiro pelas frestas da janela, um facho de luz no qual flutuavam minúsculos grãos de poeira, restos de asas de insetos, fios de alguma coisa perdida, o menino sentiu uma mão deslizando amorosa por seu rosto e depois nos cabelos, um vulto feminino desfocado pelo lento despertar, um sorriso e um fio de voz de anjo falando baixinho: acorda, meu menino, acorda — será que era a mãe, poderia tanto ser! — e dentro de sua memória um *castrati* italiano cantava 156 notas da música dos anjos e dos deuses em um fôlego só.

Sábado solitário

Serena, três anos, foi passar o sábado na casa da mãe. Antonio, 14, foi para a casa da mãe dele também. Os três filhos adultos, dois deles com um filho cada um, pouco aparecem.

Restou-me a solidão de um sábado chuvoso a 1.200 metros de altitude em minha casa na floresta da Cantareira, a maior mata urbana do mundo, onde eu moro, no limite de Mairiporã com a capital de São Paulo. Onças rondam meu quintal. Veados roubam meus repolhos.

Fui para a cozinha com saudade de Minas Gerais e fiz um frango com quiabo à maneira de minha avó Maria Amélia, uma santa, cujo marido, Juca Feroz, nos anos 1940 fugiu da Fazenda Jaguara a cavalo, vestido de mulher, pois os jagunços do vizinho queriam matá-lo. Teve que vender a fazenda, na região de Três Marias, em Minas e o comprador achou diamantes nela. Perdemos a herança.

Fiz ora-pro-nóbis refogado. Tenho uma floresta de ora-pro-nóbis em casa. Trouxe as mudas do quintal do Seu Sebastião Gamela, que criou 13 filhos na corrutela de Sentinela, distrito de Bocaiúva, no Vale do Jequitinhonha, onde passei a infância e parte da adolescência. Um dia fizeram um assentamento e a mulher de Sebastião Gamela ganhou casa, lote em cooperativa, vacas, cabras, galinhas, saiu da pobreza e colocou todos os filhos na escola. Sebastião Gamela morreu de beber. Governo Lula.

Fiz também um creme de farinha de milho grossa no caldo do próprio frango. Aprendi a fazer com as parteiras que iam lá em casa tirar meus irmãos da barriga de minha mãe e faziam esse creme perfumado e saboroso, gordo, que dava "sustança" à mulher que acabara de parir.

Aos 24 anos minha mãe já tinha cinco filhos. Aos 27 nasceu Renato e foi a partir daí que eu, o mais velho e grandão, virei babá dos menores. Trocava fralda, dava banho, lavava as fraldas de pano e as passava com ferro a brasa. Solange tem uma cicatriz na coxa. Eu a deixei cair e ela rasgou a perna no aço do baú onde estava a bacia do banho.

Como não como mais arroz branco, fiz cereais 7 grãos, receita de Isaura, uma jovenzinha (42 anos mais jovem) de Guiné-Bissau, África, que em setembro passado entrou suavemente em minha vida e me ensinou a meditar, a fazer ioga, a me alimentar melhor e a ter foco. Fiquei mais calmo, perdi oito quilos, estava quase feliz, mas algo deu errado e no mês passado ela se foi, me deixando uma estranha sensação de vazio. Vida que segue, com seus mistérios.

Para acompanhar, um singelo e raro vinho chileno com uvas Zinfandel. Taninos equilibrados e macios, corpo médio, retrogosto e álcool medianos, no nariz aromas de frutas negras, tabaco, rubi intenso. *In vino veritas.*

Aprendi a cozinhar observando minha mãe. Nas férias meu pai me levava para trabalhar na roça, na enxada, na pá, na picareta. Férias pesadas. Eu tinha 12 anos quando ele me levou para trabalhar na fazenda de Jair Ananias, pai de Patrus Ananias, que viria a ser deputado federal, prefeito de Belo Horizonte e ministro de Lula. O cozinheiro de nossa roça era horrível. Propus a meu pai trocar a enxada pelo fogão a lenha, ele aceitou fazer a experiência. Acordei de madrugada, caminhei até a lagoa, pesquei 14 traíras e fiz um ensopado. Naquelas férias não peguei em enxada.

Como escreveu Knut Hamsun, "depois veio o tédio, o terrível tédio que sempre vem depois de todos os sentimentos exagerados". A comida de hoje estava boa. Mas terei exagerado?

Sem Serena, sem Antonio e sem Isaura, já com o vinho me sedando a mente, e atordoado com tantas lembranças, só me resta parar de digitar este texto, levantar-me e lavar a louça.

Domingo cinzento

Uma neblina densa tomou conta de tudo o que se podia ver — e agora não se vê mais — ao redor de minha casa na floresta da Cantareira, ao norte da capital de São Paulo. Venta. Enquanto escrevo aqui, um amigo envia um *link* para ouvir *Luar do Sertão*, que Catulo da Paixão Cearense imortalizou em 1914.

E então, meu pai...

Eu devia ter uns cinco anos quando vi meu pai, Antonio Trindade, tocar violão e cantar pela primeira vez. Era exatamente *Luar do Sertão*, e me lembro dele com os pulmões cheios cantando: "e a gente pega na viola que ponteia, e a canção é a lua cheia a nos nascer no coração".

Caía a tarde em nosso pequeno lugar na fazenda de meu avô paterno, Juca Feroz. A casinha com chão de tijolos, sem água encanada e energia elétrica, ficava ao lado de um riacho, que logo depois faria parte da represa da Usina Hidrelétrica de Três Marias.

Pobres Marias. Às margens do Rio São Francisco vivia um sitiante com três filhas: Maria Francisca, Maria das Dores e Maria Geralda. Uma enchente levou Maria Francisca, que lavava roupa nas margens do rio. Maria das Dores jogou-se nas águas para salvar a irmã, e as águas a levaram também. Maria Geralda, em desespero, foi atrás das duas, e também não voltou.

Os versos de Catulo da Paixão Cearense para a música de João Pernambuco saíam límpidos da garganta de meu pai, e eu fiquei ali extasiado, um menino diante de seu grande herói.

Só anos depois eu saberia que meu pai, um Quixote sonhador, ficara milionário aos 26 anos, exportando algodão para uma empresa norte-americana que fazia uniformes para os soldados que lutavam na guerra da Coreia. Do outro lado do mundo, o sangue dos soldados manchava o algodão de meu pai.

A guerra acabou, e meu pai, visionário sem noção de *marketing* e administração, continuou plantando lavouras gigantescas de algodão. Os norte-americanos pararam de matar coreanos do norte, meu pai perdeu o contrato, e aí faliu seu pequeno império de plantações, caminhões, armazéns, carvoarias, jazidas de cristal.

Tenho uma lembrança de meu doido pai correndo velozmente pelas ruas de terra de Abaeté, no oeste de Minas, com um conversível amarelo comprado nos Estados Unidos. Os credores levaram o carro, os caminhões, os armazéns e a prataria de minha mãe.

O ruim de ser pobre não é a pobreza em si, pois você pode ser pobre com dignidade, mas ficar pobre — depois de ser rico — numa família de fazendeiros conservadores no interior de Minas pode ser melancólico e bastante amargo para uma criança.

Eu e meus irmãos éramos "os filhos do Tonho do Juca", vergonhas da família. Andávamos descalços. Minha mãe comprava sacos de algodão que embalavam o açúcar das usinas do Conde Francisco Matarazzo, alvejava-os e com aquilo costurava nossos calções.

Minha mãe, Nancy Emediato, tinha 15 anos, cabeça de criança e corpo de mulher, e vivia feliz num colégio interno de Conselheiro Lafaiete, quando meu avô Simeão foi buscá-la para casar-se com meu pai.

Foi um casamento arranjado. Simeão Fernandes Emediato, meu futuro avô materno, tinha duas fábricas de manteiga. José Maria Alves de Souza, o Juca Feroz, meu futuro avô paterno, tinha vacas leiteiras. Simeão comprava o leite delas para fazer as manteigas Juriti e Sabiá. Deu-se que certa tarde, na varanda da Fazenda Santa Maria, em Abaeté, meus futuros avós concentraram-se na força descomunal de meu pai empurrando para o curral um bezerro enfurecido.

— Eu tenho uma filha bem bonita — disse meu futuro avô materno.

— Esse meu filho precisa casar, para se acalmar — respondeu meu futuro avô paterno.

Estava selado o destino dos dois.

Minha mãe tinha 17 anos quando eu nasci, e desde então tinha um filho por ano. Ela jamais descansou. Mas, quando meu pai faliu e Simeão chamou-a de volta para o conforto da casa paterna, ela se recusou a ir.

Simeão então conteve seu orgulho e chamou o genro aloprado para trabalhar em sua fazenda em Bocaiúva, norte de Minas, mas meu pai recusou a oferta. Preferiu ser humilhado na fazenda do próprio pai.

Naquela fazenda, ele plantou batata-doce e produziu sementes de milho híbrido, novamente exportadas para os Estados Unidos. E naquela casinha com água de cisterna e luz de lamparina a querosene (acordávamos com as narinas pretas de fuligem), eu tive uma infância pobre, inocente e feliz.

E foi ali então que, aos cinco anos, vi meu pai pela primeira vez cantando ao violão. Mas, sete anos depois, ele desistiu daquela vida miserável, comprou um caminhão e foi ficar rico em Brasília, que estava sendo construída por Juscelino Kubitschek, para glória dos futuros bilionários Nenê Constantino e João Batista Sobrinho, o João Mineiro.

Nenê Constantino transportava gente em suas jardineiras, caminhões adaptados para transportar pessoas. Um dia, no futuro, ele e seus filhos fundariam a Gol. João Mineiro e sua mulher, Flora, tocavam bois pelas estradas, de Anápolis a Brasília, e os matavam ali mesmo no cerrado, cortava-os e vendia a carne nos canteiros de obras, diretamente para os peões. Nascia a JBS.

Mas o doido do meu pai não tinha mesmo vocação para ficar rico. Em vez de focar no transporte de areia para os prédios e viadutos, entrou para o sindicato e a política. Devoto de Leonel Brizola, foi defender o presidente João Goulart nas ruas. Acabou preso num quartel, do qual só saiu depois que meu avô foi a Brasília resgatá-lo. Meu avô, por sorte, era vizinho, em Bocaiúva, de Teresa, irmã do vice-presidente da República, José Maria Alkmin. Ela morava na casa ao lado e trocava confidências com minha avó, Maria Ifigênia.

— Ninguém está seguro, as leis não servem de nada, aqui se manda prender e se manda soltar. Vou mandar soltar, mas prenda esse doido na sua fazenda — mandou o vice do general Humberto de Alencar Castelo Branco.

Haveríamos de descobrir mais tarde que aquela ditadura mandava prender e soltar, mas também mandava torturar e matar.

Meu pai ficou três anos preso na fazenda de meu avô, de onde só saiu em 1966, quando ele morreu.

Comprou outro caminhão — sempre um caminhão — e saímos de novo pelo mundo.

Cinco anos depois eu já tinha 17 anos, deixei minha família, arrumei um emprego numa gráfica e fui continuar meus estudos em Belo Horizonte. Exatamente 15 anos depois de termos sido expulsos de Brasília lá voltei — inúmeras vezes — como jornalista e escritor. Toda ida a Brasília era uma espécie de vingança. Quanta ilusão.

Combatemos a ditadura militar, escrevi nove livros, fiz um filme — *O Outro Lado do Paraíso*, sobre as aventuras de meu pai —, tentamos construir um novo Brasil, e aqui estamos de novo na estaca zero.

Os últimos dias de meu pai foram passados numa cadeira de balanço, na casa de minha irmã Suely, em Sete Lagoas, Minas Gerais. Um dia ele acordou cedinho, pôs água na chaleira para fazer café, sentou-se na cadeira de balanço e ficou esperando a água ferver. Foi encontrado às sete horas, com os olhos fechados e um sorriso no rosto. Nas mãos, um livro chamado *Para onde vamos?*".

Meu pai morreu pobre, mas feliz. Também eu não enriqueci, sou apenas um autor de livros que tenta ainda escrever um romance tão grandioso quanto *Germinal*, e pequeno editor de livros, meus e dos outros.

Aqui, neste domingo cinzento na Serra da Cantareira, lembrando meu pai ao violão, pedaços de memórias, ilusões que se foram, sonhos que se esvaíram, levanto-me, olho para Serena, minha filha de quatro anos, que brinca no tapete, e sigo em frente. Enquanto olho um tímido raio de sol rasgando a neblina lá fora, ainda ouço os últimos versos da canção:

*"Ai, quem me dera
que eu morresse
lá na serra
abraçado à minha terra
e dormindo de uma vez.
Ser enterrado
numa grota pequenina
onde à tarde a sururina
chora a sua viuvez."*

A vida é bela. Mas dói.

3
QUERIDOS LEITORES

Queridos leitores

"Tenho pensado seriamente em pôr um fim à minha vida." Era terça-feira, eu tinha acabado de chegar ao jornal para começar mais um dia de minha vida efêmera e frágil e a carta estava lá, sobre a mesa: um envelope branco, subscrito com letra bem desenhada, feminina — alguém que assinou apenas como *Kamikaze*. Alguém sem nome e endereço. Alguém amargurado e triste.

Olhei em volta e vi pessoas trabalhando, silenciosas ou não, cada um com seu destino. Na mesa mais próxima, Glorinha, Ana Cândida, Enedina, Motta e Charles tinham o rosto triste: Alexandre Bressan, nosso colega, tinha sido assassinado com dois tiros no fim de semana. Trinta e cinco anos, uma vida inteira pela frente. E, no entanto, em algum lugar desta São Paulo fria e grande, uma mulher solitária diz que pensa em morrer.

Há sol lá fora, são 9 horas da manhã. Os automóveis passam pela avenida Marginal do rio Tietê conduzindo homens, mulheres e crianças: passageiros habitantes deste planeta azul. Daqui da janela sou apenas um homem comum com uma carta desesperada entre os dedos. Foi escrita no dia 9 de novembro por uma mulher com mais de 35 anos, que estudou química e estava, naquele dia, desempregada e sem vontade de viver.

Recebo cartas todos os dias. Alguns leitores escrevem todas as semanas. Quase sempre é bom. Outras vezes, não. Dulceli Nogueira (Lila), de Ribeirão Preto, quer que eu volte a acreditar em Deus e conforta minha descrença com belas citações da Bíblia. G. H. Wills, de Vargem Grande Paulista, avô de dois, sem dúvida, belos netinhos, Tati e Du, é um homem de fé que compreende e aceita minha descrença, e escreve quase sempre me confortando quando estou amargurado, ou se alegrando comigo quando faço força para ter esperança.

Regina quer ser minha namorada. Não dá, querida: minha Sylvia não iria gostar. Nem você, talvez: as pessoas fazem uma ideia da gente quando não nos conhecem — poderia ser, console-se, uma enorme decepção. Pedro Sena (ou será Souza? Ou Serra?) escreve dizendo que tenho me lastimado demais aqui neste espaço e que não adianta chorar — o jeito é entrar no Partido Comunista Brasileiro, o *Partidão*. Também não dá, Pedro: o seu partido é conservador demais. Vai ser difícil dar as mãos, como você pede, para os seus camaradas: já lhes dei as mãos há dez anos, quando quis ser comunista e tive grande apoio do Partido, até que um dia quis pensar com minha própria cabeça e os camaradas não tiveram dó nem piedade — cortaram minhas mãos e quase levaram a cabeça junto. Seja feliz, Pedro — mas fico aqui do meu canto anarquista, cheio de dúvidas e incertezas. Para o *Partidão*, Pedro, nem com perestroika. Seja feliz com a foice, o martelo e a sua comovente certeza de que "o socialismo deu certo na metade do mundo". Será?

Roberto, um escritor, quer meus préstimos para conhecer minha amiga Susana Kakowicz*, uma judiazinha polaca que conquistou corações (inclusive o meu) escrevendo duas ou três vezes aqui mesmo neste espaço dominical e depois sumiu sem dar notícias.

Volta, Susana, volta! Mas pior é um sujeito que tem um projeto agropecuário e telefonou pedindo que o auxiliasse a mostrá-lo para o empresário Sílvio Santos, com direito a comissão e tudo. Cada coisa…

Há também os que ameaçam — são sempre anônimos — e que telefonam insultando e gritando palavrões, toda vez que reclamamos, por exemplo, da imoralidade com que os homens públicos destroem o que sobrou deste país. Pobre gente.

---

* Susana Kakowicz foi um pseudônimo que usei para também escrever crônicas, com outro estilo, no Caderno 2 do jornal O Estado de S. Paulo.

"Leitor e eu formamos um bicho composto, uno e dividido, uma parte querendo engolir a outra", escreveu uma vez o grande e bom Carlos Drummond de Andrade, aquele que procurou sempre "extrair de cada coisa não uma lição, mas um traço que comovesse ou distraísse o leitor, fazendo-o sorrir, se não do acontecimento, pelo menos do próprio cronista, que às vezes se torna cronista do seu umbigo, ironizando-se a si mesmo antes que outros o façam".

Queridos leitores. Bons e cruéis leitores. Carentes leitores. Um deles, severo, diz que só tenho escrito coisas amargas, sombrias. É verdade: não tenho o talento do Osmar Freitas Jr. ou do Carlos Antônio Castelo Branco para brincar com as coisas. De resto, brincar como? Baixo os olhos, vejo a carta dessa mulher anônima que assina *Kamikaze*, e penso, então, sobre as tristes e alegres coisas da vida. A vida é amarga, *Kamikaze* querida. A vida é dúvida, como escreveu uma vez meu amigo Adão Ventura, mas também é dádiva. Por isso, não se mate, meu bem! Por favor, não se mate. Morrer é pior que viver.

Deus

*Esta crônica é para G. H. Wills,
meu leitor; para Nicole Puzzi,
minha amiga; e para Rodrigo,
meu filho. Eles acreditam em Deus.*

Houve um tempo em que ele acreditou em Deus. Haviam-lhe dito que ele existia e ele via o rosto de Deus na dourada estrela da manhã, no silêncio frio das madrugadas, no riso e na tristeza, na luz e na escuridão. Eram tempos felizes, então.

Ele não se lembra mais quando perdeu a fé e desistiu de Deus, mas isso — a data — não tem importância. O significativo é que deixou de pensar na existência de Deus, de qualquer criador, e seguiu em frente, carregando como um duro fardo suas pequenas certezas, suas grandes dúvidas, seus sonhos, esperanças, ilusões.

No início pensou que seguir vivendo sem fé seria amargo e vazio. A um homem sem Deus tudo seria permitido, até o crime? Lembrava sua infância, o catecismo, a missa, os padres, as confissões, o pecado e o perdão e perguntava-se o que faria da vida a partir de agora — quando não havia mais pecado e, portanto, culpa, remorso, punição.

Mas a vida continuou igual sem Deus. Havia, é claro, a angústia, a incerteza diante da morte a caminho — todos os dias ele morria mais um pouco, as rugas surgindo no canto dos olhos e dos lábios, o relógio correndo, os olhos apertando-se, às vezes cinicamente, diante da quase certeza de que a vida é de certa forma absurda e sem sentido, embora ocasionalmente bela, maravilhosa, mágica.

É engraçado, pensa o homem, como ele se desligou tão facilmente da ideia de Deus: sem traumas, sem dor, sem nada. E como, embora sem acreditar, ele lê desde a infância a Bíblia, descobrindo, do *Gênesis* ao *Apocalipse*, verdades e mentiras, delírios, fantasias, lições. Um livro o fascina mais que os outros: o *Eclesiastes*, com suas palavras desesperançadas: vaidade, tudo é vaidade. Todas as coisas têm seu tempo, e todas elas passam debaixo do céu, segundo o termo que a cada uma foi prescrito.

Geração vai, geração vem, e a terra permanece como sempre, diz o *Eclesiastes*, e continua: levanta-se o sol, e põe-se o sol, e volta ao seu lugar onde nasce de novo. O que foi, é o que há de ser; e o que se fez, isso se tornará a fazer: não há nada de novo sob o sol. Nem mesmo a descrença, acrescentaria o homem — este homem que olha as estrelas à noite (quando há estrelas no céu) e pensa, fascinado, no grande e insolúvel mistério da vida.

Há o tempo de nascer e o de morrer, o tempo de viver e o de voltar ao pó, ao Cosmos, quando a frágil carne se torna outra vez poeira de estrelas, eternidade, silêncio e solidão. Mas tudo se move, pensa o homem, tudo se move. Ele se lembra então da vez em que viu, no Museu do Espaço, em Washington, o filme *Ten* (Dez): uma câmera focaliza um casal com seu filho brincando em um parque e vai se distanciando dele, subindo rumo ao universo nas escalas do número 10: veem-se a família, a cidade, depois o Estado, o país, o planeta Terra, o sistema solar, a via-láctea, todas as galáxias, e depois o vazio imensurável — tudo? Na escala inversa, volta-se vertiginosamente ao grupo humano; um corpo, o braço da mulher, a pele, um poro, uma célula, um átomo, o núcleo do átomo, partículas minúsculas, e então outra vez o vazio imensurável — tudo? Eternidade. Silêncio. Solidão.

Como somos frágeis, pensa o homem. É nesse instante dramático em que quase soçobra entre o ser e o nada que o homem olha com inveja aqueles que o cercam e acreditam, de alguma forma, em Deus. Ou em algo. Eles são o equilíbrio? A harmonia? A razão?

Deus é conforto? É paz? É serenidade? O homem sorri levemente enquanto faz essas perguntas e olha os despreocupados rostos dos que têm fé ou não pensam jamais nisso: apenas creem, mais nada. Às vezes, que estranho, este homem duro sente um grande amor por todos eles — como se fossem mais frágeis por se iludirem? Mas então ele se olha no espelho e pergunta: mas quem se ilude? Eles? Eu?

E então... então ele se lembra, com ternura, de anteontem, quando o filho de oito anos perguntou: "Pai, é verdade essa história de Adão e Eva?". E ele, o pai, tentou explicar toda a história do homem e sua evolução: átomos, água, carbono, amebas, megatérios, macacos, homens — a fascinante história da vida e da morte sobre a Terra. "Mas e Deus, pai?", perguntou o menino. E o homem se cala. Mas como manter o silêncio? E então ele pergunta ao menino o que ele acha, e a resposta vem: "Eu acredito". Tão simples. Tão fácil. Tão singelo.

Aquele que tem sede, venha, e quem quiser receba de graça a água da vida, diz o *Apocalipse*, este livro cheio de mistérios, visões lisérgicas, sóis negros, rios de sangue, estrelas cadentes, tempestades, céus que se enrolam como pergaminhos, terremotos, mares de vidro, tochas ardentes e monstros alados.

Mas o *Apocalipse* é um livro terrível: melhor voltar ao *Eclesiastes*: "E eu reconheci que não havia coisa melhor do que alegrar-se o homem, e fazer bem enquanto lhe dura a vida".

Com ou sem Deus. Com ou sem Deus, meus filhos.

Caso de polícia

Em 1968 eu tinha 17 anos e fui preso, em Sete Lagoas, interior de Minas, pela polícia do general Costa e Silva, não por algum crime político, mas acusado de atentar contra a moral e os bons costumes. Estava beijando Cândida, 16 anos, no meio da rua. Até hoje me pergunto que consequências essa prisão injusta teve para a sensível e doce Cândida, que não sei mais onde vive, com quem vive, se vive, se é feliz. Mais chocante que a prisão arbitrária foi o que vimos na infecta delegacia do interior: ladrões de galinha e arruaceiros sendo espancados barbaramente, até sangrar. Isso ainda acontece nesta República de corruptos e assassinos, mas ninguém faz nada. Nem ao menos se protesta mais, o que revela o desencanto, a apatia, o desinteresse que tomaram conta desta população que um dia foi para as ruas exigir eleições diretas e hoje apenas assiste à espantosa decomposição do estado de coisas que se pretendia "novo", ponte para a democracia.

* * *

Tudo isso me vem a propósito de uma carta chocante que recebi esta semana. Solange, uma jovem e terna leitora, foi presa na semana passada, em São Paulo, ao ser roubada por um motorista de táxi. Alguns motoristas de táxi são policiais mal pagos que transportam passageiros e, às vezes, se envolvem em pequenos crimes para reforçar o orçamento. É possível que o bandido motorizado que violentou Solange seja um desses pobres-diabos. Ele quis rapinar Solange, ela não aceitou. Ele chamou a Polícia Militar e lá se foi Solange para o 3º Distrito.

* * *

O que ela conta em sua carta sofrida e desencantada é de arrepiar. O PM, jovem e selvagem, machucou-lhe o braço e dirigiu-lhe palavrões. No Distrito, o delegado (pago, com o dinheiro público, para proteger a população), não se sabe se por não ter senso de justiça, não se sabe se por estar endurecido, transformado em besta pelas próprias características de seu trabalho (embora haja policiais sensíveis e humanos, coisa infelizmente rara e até ridicularizada por parte da polícia), impediu Solange de contar sua própria história.

"Recebi, aos gritos, ordens para ficar sentada e calada", conta Solange. "Pedi água, não deram. Pedi para telefonar, me mandaram calar a boca. Calei. O delegado foi a uma outra sala (não vi, só ouvi) e gritou com um homem. Falava palavrões, dava chutes e dizia: 'Você nem gente é, porque já nasceu preto'. E o som de pontapés. Ninguém fazia nada. Eu não podia mais suportar aquilo."

Depois de passar por tais horrores, os documentos de Solange foram devolvidos, com gestos obscenos e palavrões, e ela foi jogada na rua. Não lhe disseram que crime tinha cometido. O sol nascia e Solange encontrou-se a sós com seu espanto, trêmula, ferida, humilhada, frágil e indefesa diante da selvageria que se transformou viver numa cidade brasileira. Vivemos num país em que um cidadão que paga honestamente seus impostos pode ser preso, agredido e ultrajado pelos pústulas pagos com o nosso dinheiro para nos proteger.

* * *

E Solange pergunta: "É possível viver, continuar vivendo num mundo assim? Como é que a gente faz para ter um pouco mais de menos medo? Como esperar que os elementos da polícia sejam gente como a gente? Como imaginar que tenham cérebro e coração, além de músculos? Anotaram meus dados na delegacia. Gostaria que as pessoas soubessem do que houve comigo, mas tenho medo de represálias. Mas o que será pior? Continuar quieta, sujeita a toda essa sujeira, ou tentar fazer alguma coisa? Eu acho melhor tentar. Nem que nada mude".

* * *

Solange tem medo, mas escolheu falar, e isso é bom. Não se pode silenciar diante do que está acontecendo: pequenos e grandes crimes, pequenos e grandes assassinatos. O país está desmoronando. Vivemos, como já escrevi aqui, a era do eu, do individualismo exacerbado, da miséria dos princípios, do egoísmo, da corrupção desenfreada. Do cidadão comum que rouba no troco até o ministro que aceita comissão para liberar verbas públicas, a podridão moral é uma só. Corrupto não é apenas quem recebe, mas também quem dá: você que suborna o guarda de trânsito para não ser multado, a empreiteira que suborna o funcionário público para ganhar a concorrência de obras.

* * *

Sei que você está ferida e humilhada, mas sigamos em frente. Enxugue as lágrimas, menina, tenha esperança, resista. É só o que nos resta — e sem isso o que poderemos fazer, além de aceitar que nos prendam, gritem conosco e, depois, apenas nos abram a porta da rua e nos mandem embora, sem nenhuma explicação?

Lembre-se: lá dentro ficou aquele outro homem cujo rosto você não viu, aquele que foi chutado e escarnecido — aquele que "nem gente é, porque já nasceu preto". Pode ser que ele ainda esteja lá, negro e espancado. Pode ser que já esteja morto. Ninguém vai perguntar por ele. Aquele delegado está no poder, é ele quem manda, só nele vão acreditar. No momento em que, poderoso, esse homem gritou com você e deu um chute no pobre negro, ele era maior que vocês dois, maior que o presidente da República, maior que o papa, maior que um deus.

Tenhamos pena dele, é claro, mas não apenas isto. Este país só será habitável quando pessoas assim estiverem atrás das grades. Ou no sanatório, onde talvez alguns abnegados consigam devolver-lhes o que perderam: a humanidade.

Fratura exposta

Ciente de que este cético cronista dominical é fiel, embora agnóstico leitor da Bíblia, o bom leitor G. H. Wills, de Vargem Grande Paulista, mandou-me esta semana um livro primoroso e bastante útil: *Chave Bíblica*, publicado pela Sociedade Bíblica do Brasil, contendo quase sete mil verbetes com mais de 45 mil referências a passagens bíblicas e 51 biografias de personagens do fantástico livro hebreu.

Por este livro, é possível saber que a palavra corrupção, nas suas várias formas, como corromper, corrompido, corruptor, corruptível e outras, aparece 44 vezes na Bíblia. Wills lembra-me que a palavra *iniquidade*, quase sinônimo de corrupção, aparece nada menos que cem vezes também. Tanto a iniquidade quanto a corrupção nasceram com a consciência do homem, há milhares de anos, e desde então nos acompanham como uma praga terrível, impedindo a concórdia, a serenidade e a paz.

A corrupção é tão antiga que já estava lá, nos *Salmos*, Capítulo 14, versículo 3: "Todos se extraviaram e juntamente se corromperam: não há quem faça o bem, não há nem um sequer". É pena que o Brasil ande assim, como os hebreus sem a proteção de Jeová, ou sofrendo, diante dele, por suas próprias iniquidades. Pois é a mesma Bíblia quem diz, nos *Provérbios*, 29-18, que "não havendo profecia, o povo se corrompe: mas o que guarda a lei é feliz".

Quem tem a santa paciência de me ler aqui neste espaço, quase todos os domingos, sabe que não creio em Deus, ou não consigo acreditar em algo que não se faz presente, não se manifesta, não se apresenta diante de meus olhos e coração para que possa adorá-lo, amá-lo acima de todas as coisas, temê-lo e seguir sua lei. Prefiro seguir minha própria consciência, e tenho tentado ser justo e bom. Um dia Dostoiévski escreveu que, sem Deus, tudo passa a ser permitido. Tomo a liberdade, eu que não creio em Deus, de substituí-lo por outra coisa — ética, compromisso de ser solidário, justo, digno. Não é por sermos materialistas que teremos de ser, também, iníquos e selvagens.

Acho também que sem esperança é difícil ser digno. O desesperançado, o pessimista, o cínico, o hipócrita não têm mesmo nenhum compromisso com seu semelhante. É por isso, talvez, que vivemos hoje esses tempos sombrios, sem honra, dignidade, lei. Vivemos, já escrevi aqui, a era do eu. Quase todos querem levar vantagem em tudo. Quase todos se vendem e, com o lucro, compram o outro, seja o guarda de trânsito, o funcionário do guichê público, o deputado, o ministro, o juiz, sabe-se lá mais quem.

Nem por ser tão antiga a corrupção deveríamos ser tão tolerantes com ela como temos sido. Canalhas, ladrões do erário, sacripantas, espoliadores de toda ordem existem em todas as sociedades, até mesmo nas democráticas, mas costumam ser mais dissimulados em países mais civilizados que o nosso. Entre nós, o roubo é praticado na cara de todos. Ninguém se envergonha.

Vergonha tive eu, de ser brasileiro, ao ler esta semana, nos jornais, que o presidente da República vai gastar uma fortuna (dinheiro do povo, mais uma vez), para "limpar" a esfrangalhada imagem de seu governo. Espantado com as denúncias de corrupção e o desalento popular — desde os últimos dias basta ser do governo para se ser apontado como ladrão, ainda que o pobre coitado seja o mais honesto dos funcionários públicos — o presidente quer acabar com a corrupção à custa de propaganda. É o fim do mundo: em vez de acabar com a corrupção, estimulando investigações, conduzindo os ladrões para o cárcere, confiscando seus bens, ele quer é que passemos a acreditar que vivemos em um país em que ninguém assalta o povo todos os dias.

Haja dinheiro! O presidente vai precisar de muito para embelezar e perfumar a cara monstruosamente apodrecida de um governo cujas instituições já não merecem respeito, degeneradas pela desonestidade escandalosa dos que vivem à sombra e à proteção do poder. Não há mais como esconder: a corrupção é tão visível e chocante quanto uma fratura exposta. Não devemos acreditar que o presidente é, ele próprio, corrupto. Não há indícios de que seja. Mas os de que seus subordinados o são exigem uma reação já — mas reação efetiva, não estas que mais parecem aquela piada do marido cuja mulher o traía no sofá da sala. Ciente do triste fato, mandou trocar o sofá — e a vida continuou igual, com todos na santa paz do Senhor.

O presidente corre perigo sério: por muito menos do que está acontecendo em seu governo, o presidente Richard Nixon foi deposto e seus homens de confiança metidos na cadeia. Longe de mim pensar que a espada moralizadora da Justiça baixará amanhã mesmo, vingadora, neste país em que a Justiça existe apenas para os pobres e os bobos. O fato de não acreditar em Deus, entretanto, não significa que não possa ter esperança em certos milagres. Mais dia, menos dia, uma voz não necessariamente divina pode dizer a alguém, como em *Deuteronômio* 9:12: "Vai, desce; porque o teu povo, que fizeste sair do Egito, se corrompeu". E ele descerá, e poderá ser violenta, e forte, a sua terrível sede de justiça. Ou de vingança.

Queridos leitores 2

O que liga alguém que escreve — jornalista, cronista, escritor — a quem o lê? Ideias comuns compartilhadas em segredo? Entrelinhas que alguém decifra distraído, enquanto corta o pão e sorve o leite, o amargo café das manhãs? Ou à noite, pensativo, depois de um dia em que se lutou, mais uma vez, pela sobrevivência neste mundo incerto, em que as coisas são às vezes tão vãs e vazias, ou não?

Sei lá, não sei. Ou sei, sei lá. Toca o telefone e do outro lado alguém diz: te amo. Ou o contrário. Alguém diz: preciso de você. Ou então: quem você pensa que é? Quero te ver, diz o outro. Ou a outra. Quero que você morra, berra alguém que não entendeu. Ou entendeu demais.

Quase todos os domingos destilo aqui a minha dor, minha angústia, minha perplexidade diante da vida

— ou minha esperança, a vontade de continuar vivendo, porque viver vale a pena, seja qual for a vida. Alguém me liga, 16 anos, vozinha fina de quase criança, e diz: "Você parece tão bom". É, talvez. Quem sabe? E mais: que tem recortado as crônicas, levado à escola e discutido com os colegas. E então ouve de alguns: "Que sujeito ridículo, careta! Sai dessa, menina!". Mas ela não sai.

Você anda tão amargurado, repreende a secretária da diretoria. Por que não escreve sobre coisas alegres, as belezas da vida, o sol lá fora? Por que não esquece a dor, a corrupção (coisa tão feia...), as crianças que morrem de fome no Nordeste (coisa tão distante), essa obsessão de negar a existência de Deus, essa dúvida? Pois é, por quê? Pois é.

Recebi uma carta singela: Francisco de Assis Araújo Lima, testemunha de Jeová, pede que o chame de Assis e que veja nele um amigo, mais nada. Quer ajudar, pois diz: "Seu Luiz, eu sou um testemunha de Jeová e se o sr. quiser pode falar com a gente, estamos espalhados por toda a terra habitada, procurando pessoas que querem aprender a verdade". A verdade, para ele, é Deus e a Bíblia — este livro que amo tanto, mas no qual não posso enxergar, eu que não creio, a palavra de Deus, só a poesia do homem e seus mitos.

Obrigado, Assis. Você parece um homem bom e puro. Vou reler os *Salmos*, vou buscar de novo Romanos, Atos, Sofonias e Daniel, vou maravilhar-me sempre com o *Eclesiastes* e com Salomão, mas não vou temer — como você, meu bom Assis — pelo final dos tempos, pela grande tribulação que poderá vir não por obra de um Deus vingador e justiceiro, mas por causa da incúria e da cegueira dos homens que fabricam armas, e bombas, e se matam, e destroem a Terra, este planeta azul tão frágil que gira, só aparentemente sereno, no grande e amplo espaço vazio. Respeito a sua torre de vigia, Assis — mas é outra, bem outra, a minha torre.

Você acha que é o dono do mundo e da verdade, acusa alguém, anônimo, pelo telefone. Ele quer defender o governo, que acusei de corrupto (ou de conivente com a corrupção) ao longo dos dois domingos em que invadi a paz dos leitores com assuntos tão pouco nobres. Trata-se de alguém irado, para quem só pode ser corrupto quem tanto acusa. O presidente da República disse a mesma coisa ao pé do rádio. Que pena. Não é assim que nos entenderemos.

Trudi Landau, leitora fiel, manda-me crônicas e cartas, e sugere: "Para o caso que você queira ser fundador de um clube de agnósticos, sou candidata ao número um ou dois do partido". Boa e justa Trudi. Ela acha que a "profissão de jornalista é muito gratificante, pois pelo menos podemos dizer algo a respeito do que se passa, mesmo que isso não adiante nada". Adianta, Trudi. Ficamos em paz com nossa consciência, enquanto a aurora não chega. Pois há de chegar, um dia.

Solange mandou-me uma carta cheia de vergonha e dor. A história de como tinha sido injustamente detida por um policial militar e, depois, humilhada por um delegado civil. Contei a história aqui, e agora tenho diante de mim outra carta: um pedido do Juiz de Direito Corregedor Vanderlei Aparecido Borges. Ele quer cópia da carta de Solange, para que possa "instruir autos de procedimento correcional em trâmite por esta Corregedoria". A cópia da carta segue amanhã, dr. Vanderlei — mas sem o nome completo e o endereço da humilhada autora. Sabe por quê? Ela não acredita na Justiça. E tem medo. O sr. vai ter de encontrar outra forma de fazer justiça. Talvez se visitasse de surpresa as delegacias onde todas as noites presos e suspeitos são espancados ou humilhados? O sr. bem sabe: não há mais presos políticos, ninguém se incomoda muito com a tortura. Os que sofrem são apenas párias, presos comuns.

Ruth, que já é avó, gostou do que escrevi sobre a indigna exposição de corpos femininos no vídeo, nas madrugadas de carnaval, e pede que escreva mais a respeito, que "oriente os jovens" a respeito disto: da pornografia. Não me entenda mal, Ruth querida: o corpo humano é lindo, e sendo assim é lindo o corpo — nu ou não — da mulher. Indigno é sua exploração, sua transformação em mero objeto, *coisa* que se troca ou vende. Meus filhos Alexandre, 11 anos, e Rodrigo, oito, veem mulheres nuas na televisão ou nas revistas e não se espantam ou se excitam. Aprenderam que a nudez é natural e bela. A excitação virá a seu tempo, junto com o amor, se houver amor, ou apenas com a paixão. Minha filha Fernanda, cinco anos, anda nua pela casa e chama tudo pelo seu próprio nome. Minhas doces crianças. Elas aprendem a ser livres — mas o que será delas quando se defrontarem com a hipocrisia do mundo lá fora?

"A liberdade, para mim, é uma utopia", escreve Julia Avril, cuja carta, tão bela, será publicada esta semana, na íntegra. Julia acha que somos prisioneiros de valores éticos e estéticos da sociedade em que vivemos — esta sociedade que nos *impôs* sua "cultura". É verdade, Julia, mas podemos (e devemos) nos rebelar, se tais valores passam a ser arcaicos. Julia é uma mulher de meia-idade que perdeu um filho e conheceu a dor. Leio sua carta, no meio de tantas cartas de tantos leitores, tiro o telefone do gancho, olho a redação vazia (escrevo sozinho, tarde da noite, mas o telefone não para de chamar), e penso: queridos leitores. É bom falar com vocês. Mas para onde vamos? Na verdade eu não sei. É bom, entretanto, que caminhemos juntos. Precisamos disso.

Voltei

Existe uma pessoa neste mundo por quem me apaixonei há dois meses e a quem passei a amar quase tão intensamente quanto amo minha mulher, Sylvia, e meus três filhos. Esta criatura admirável, serenamente bela, embora meio triste, chama-se Susana Kakowicz*, poeta e cronista que estreou há dois meses aqui neste mesmo espaço, depois que, com amargura e um certo desencanto, desisti de escrever minhas crônicas dominicais, para dedicar-me a um antigo e quase esquecido projeto: terminar uma novela, *A Terra era Vaga e Vazia*

---

* Susana Kakowicz, como já expliquei, infelizmente, não existe, foi um pseudônimo que criei, inclusive com "foto" primorosa feita em traço pelo ilustrador Rocha. Passei meses escrevendo crônicas e artigos como se fosse ela. Esclareço também que, 30 anos depois, não terminei ainda de escrever o tal romance. Prometo terminar um dia, se deus quiser.

e um romance, *Memórias Falsas de um Canalha*, que, há pelo menos dez anos, me vêm consumindo dias de angústias e noites de insônia.

Estive com a doce e frágil Susana, semana passada, em Belo Horizonte. Ao lado dela, no Cabaré Mineiro, onde uma desvairada multidão de poetas recitava seus versos ao som de pianos e guitarras, fui obrigado a ouvir uma vozinha tênue e insistente que dizia: "Volta, volta, nem que seja uma vez por mês". Aqui estou, então. Não só por Susana, é claro, mas principalmente porque, desde o abrupto desligamento de minha crônica, há dois meses, cartas, telegramas e telefonemas de leitores e amigos chegaram a esta redação, indagando os "verdadeiros" motivos de meu afastamento e dando força para um possível retorno. Obrigado, gente! Valeu.

E antes que proliferem, mais do que já proliferaram, as versões absurdas para tão cristalina e limpa decisão, que se repita o esclarecimento: afastei-me voluntariamente. Numa redação democrática, aberta e digna como esta de *O Estado de S. Paulo*, não há lugar para conspirações, golpes, essas coisas mesquinhas que tornam tão árdua a convivência entre as pessoas.

Um editor de livros telefona-me em casa, preocupado, e pergunta: "O que aconteceu, afinal? Foi *lobby* do grupo judeu?". Bem, não tenho, até agora, razão alguma para não gostar de judeus, em geral, mesmo porque um antepassado meu, chamado possivelmente

Giorgius Imeriakis, imigrou para a Itália no fim do século 18. Era grego e judeu, e ao chegar ao porto de Nápoles, sem falar italiano e expressando-me mal, conseguiu entrar, mas com o nome trocado para Giorgio Immediato. Casou-se com uma italianinha católica possivelmente chamada Giulia e aí começou a dinastia dos Immediato. Aconteceu a mesma coisa com meu tetravô, Giuseppe Gennaro Immediato. Ao chegar ao porto de Santos, no Brasil, em meados do século 19, com minha futura bisavó Anna Giulia, ainda uma menininha magrela, trocou o nome para José Januário Emediato.

Mas voltemos.

Às vezes reclamo da arrogância daqueles judeus belicosos que se consideram, a sério, como povo eleito de Deus e despejam bombas em cima de cristãos e muçulmanos, mas, como cristãos e muçulmanos também costumam despejar bombas em cima de judeus e de não judeus, não se pode acusar judeus de serem mais belicosos que cristãos ou muçulmanos, ou de serem belicosos apenas por serem judeus. A doce Susana, por exemplo, é judia, e não me consta que faça parte de *lobbies*, ou tenha, Deus me livre!, matado alguém.

Pressões terríveis devem ter-se abatido sobre você, diz-me um escritor amigo, mas explico logo que não foi nada disso, eu queria apenas descansar um pouco, e também estava meio chateado com as críticas dos próprios colegas de redação, que consideravam minhas crônicas muito piegas, e também de meus chefes, que viviam me pedindo "corta isso, corta aquilo" e como eu não cortava, fica um clima assim inamistoso entre nós.

Mas falemos de coisas amenas. Falemos de Susana, do sol, da cor morena de Sylvia, tão bela nos últimos tempos, do sabiá que meu filho achou caído do ninho, órfão, e alimentou com fubá e ração, dados com um pauzinho de picolé, no bico, até que o passarinho cresceu, agradeceu, bateu asas e voou. Para onde? Falemos das andorinhas que este ano não vieram fazer seus ninhos na chaminé de minha lareira, bem no alto da serra onde vivo, fora desta cidade poluída e desumana em que tentam sobreviver; entretanto, alguns dos mais humanos seres que já me foi dado conhecer.

Por que não vieram as andorinhas? Por nossa causa. Todo ano elas descem do Hemisfério Norte, em busca de sol e comida. Desta vez encontraram, além do sol, o veneno que os homens jogaram nas plantações, e milhares delas morreram. Soube que algumas andorinhas surgiram no Paraná — o povo de lá pôde então maravilhar-se com o espetáculo delas bailando sobre os fios de eletricidade. As minhas infelizmente não chegaram: morreram antes, no caminho, intoxicadas por agrotóxicos.

Mas vejam só: tento falar de coisas amenas e eis que falo de morte. Vou, então, parar por aqui, com a promessa, acreditem, de continuar escrevendo não todo domingo, como antes, mas pelo menos uma vez por mês, como recomenda minha gentil Susana.

Entre um e outro capítulo do romance que tento desesperadamente terminar (e saibam que o terminarei até o fim do ano, nem que tenha que matar uns 30 personagens), encontrarei tempo para falar-lhes alguma coisa, boba ou não, útil ou inútil, mas que pelo menos poderá nos mostrar, quem sabe, que estamos vivos e viver vale a pena, apesar de tudo.

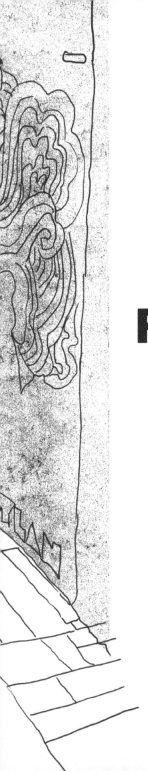

4
PESSOAS

Bem-vindo à vida, irmão!

Sexta-feira à 1h35 da madrugada eu estava assistindo televisão e de repente apareceu nela o rosto do Henfil.* Meu Deus, pensei, é ele! E era. Estava abatido, olhos fundos, os cabelos tão grisalhos... Mas estava vivo. Claro que eu sabia que ele estava vivo, a nossa Lúcia aqui na redação do jornal tem conversado sempre com a Lúcia do Henfil e ela, protetora, uma espécie de mãe, tem informado: o Henfil está melhor, tudo bem.

O Henfil, o maior cartunista brasileiro, como vocês sabem, passou um tempão internado numa clínica do Rio, vítima da Aids, que contraiu numa transmissão de sangue, por ser hemofílico. Houve quem dissesse que não escapava. Teve sete septicemias — "aquilo de que morreu o Tancredo", diz ele na televisão —, mas resistiu bravamente: agarrou o pescoço dos que o visitavam, fez gracinhas com as enfermeiras, xingou, esbravejou, quis fugir do hospital, entrou em coma e foi dado como morto — mas sobreviveu.

Um dia estava eu aqui entregue a meus cuidados, sufocado pelo trabalho que às vezes tanto nos aliena, e de repente toca o telefone: era Carlito Maia, o santo, dizendo: "O super-homem tem um nome. O nome dele é Henfil". O Henfil estava saindo do hospital naquele dia.

Agora, sob o impacto daquele homem grisalho na televisão falando, de madrugada, de sua vida, de seus projetos, de seu futuro, eu começo a pensar na multidão de seres derrotistas, tristes, pessimistas e flácidos que quase todos os dias falam comigo. De que falam, quase sempre? De suas pequenas tragédias pessoais. Da vida que está difícil. Do *fardo* que é carregar o peso do corpo neste mundo cruel.

A vida está difícil, é verdade, e o futuro da humanidade é terrível e sombrio, mas o que será de nós se não lutarmos? O que será de nós se nos entregarmos à alienação, às lamúrias inúteis, ao individualismo exacerbado, ao egoísmo, à ausência absoluta de solidariedade humana, ao medo que paralisa, à tristeza que sufoca a vontade de lutar para derrotar as forças que tornam o mundo assim?

Eu vejo o exemplo do Henfil e penso: este, sim, é um revolucionário. Ele lutou contra o mais terrível dos inimigos — ele lutou com a morte e venceu. Ele está lutando com a morte desde o dia em que nasceu, hemofílico, *diferente, especial*. E está vencendo. Isto é, sem dúvida, maravilhoso e eu, que não creio em quase nada, olho então para o sofrido rosto do Henfil na televisão e penso: viver vale a pena, apesar de tudo. O que não vale a pena é morrer.

Eu me lembro de quando ele entrou na redação do *Estado de S. Paulo*, pela primeira vez, num fevereiro de 1986. Mancava, quase se arrastava nas pernas hesitantes, era sábado e chovia. Trazia nas mãos um embrulho com dois quilos de feijão mulatinho que ganhara na casa de nosso amigo José Maria Mayrink, onde tinha almoçado.

Eu não tinha muitos motivos para gostar do cidadão Henrique Souza Filho, o Henfil, mas ao olhar para ele assim trôpego, agarrado como um menino a seu pacotinho de feijão, senti ternura por aquela figura frágil com quem teria de discutir seu ingresso no Caderno 2, o suplemento cultural e de variedades do jornal, que eu estava criando, junto com o meu sempre companheiro Alberto Villas.

Eu sentira ódio por ele quando, em 1979, o *Pasquim* — jornal do qual ele era um dos sócios — me elegeu "Revelação de Canalha do Ano" por ter negado apoio a uma greve de jornalistas em São Paulo. Errei? Pode ser, quem sabe? Mas jamais tinha pensado em ser exposto à fúria pública como um canalha, um ser repelente, um traidor, um pária. Que decepção para meus leitores de esquerda! Logo eu?!

Podemos ser, às vezes, cruéis, impiedosos e injustos. Nunca imaginamos que um dia o veneno pode voltar-se contra nós. Anos depois de eu próprio ser eleito "Revelação de Canalha", também o Henfil — um de meus "eleitores" — começou a ser patrulhado por não ter apoiado o complô que elegeu Tancredo Neves. Penso que sofreu por isso.

Naquela tarde de sábado, então, enquanto trovões rugiam lá fora e a chuva desabava sobre a avenida Marginal do rio Tietê, pude abraçar o Henfil pela primeira vez, esquecer rancores velhos, ouvir suas queixas e ver seus olhos iluminados pela oportunidade de iniciar uma nova experiência. Um novo jornal. Novos leitores. E uma grande esperança no futuro.

Agora que ele voltou daquele mundo instável e misterioso onde não se sabe direito o que é luz ou treva, agora que ele voltou para essa terra que um dia será apenas poeira no meio das estrelas do Cosmos, eu olho para meus irmãos à minha volta, considero suas fragilidades, suas carências que os tornam agressivos e cruéis, e de dentro de minha efêmera e frágil carne humana concluo que Henfil é um exemplo de dignidade e força humana, e digo então só para mim mesmo, já que ele está distante e certamente dorme a esta hora da madrugada em que escrevo:

— Bem-vindo à vida, Henfil! Bem-vindo à vida, irmão! É bom ver você vivo outra vez.

Henfil, infelizmente, morreu alguns meses depois. Enquanto durou sua longa agonia continuamos publicando seus quadrinhos no jornal, mantendo acesa a chama. Também morreram de Aids seus dois irmãos, Betinho e Chico, todos hemofílicos e vítimas de sangue contaminado.

Minha
querida Brigitte

Querida Brigitte: estava na redação deste jornal, pensando em coisas tão terríveis quanto guerra, morte, tempestade, quando de repente caiu em minha mesa a dolorosa fotografia do seu verdadeiro rosto — aquela em que você, emocionada, sorriu na quarta-feira para o mundo e mostrou, finalmente, as inumeráveis rugas do seu antigo sofrimento. Seu rosto quase irreconhecível não era nem ao menos a pálida lembrança daqueles tempos em que sua beleza enlouquecia os homens — aqueles, Brigitte, que em todas as partes do mundo sonharam um dia com você e seus adorados lábios carnudos. Esses lábios outrora tão cheios de sumo e segredos, delírios, insensatez.

Era um rosto cansado, assim me pareceu, depois desses tantos anos em que você teve, eu sei, alegrias, mas também tristezas, desencontros, decepções. Querida

Brigitte — querida Brigitte, cuja beleza dourada e luminosa deslumbrou minha adolescência, que também já se distancia de meus olhos: o tempo, eu sei, é cruel, e a morte avança na direção de nossos sonhos todos os dias, todas as horas, todos os minutos, segundos. Mas também sei que neste mundo escuro, às vezes, brilha o sol, faz-se a luz e um pensamento luminoso como o de Einstein — ou o de Cristo, o de Gandhi, o de John Lennon — nos faz ter de novo esperança.

Oh, Brigitte, alguém me telefona e quer saber se vamos publicar a notícia sobre o leilão de suas joias em benefício dos animais e se não podemos fazer alguma coisa para impedir esse "desperdício". É uma estudante de cirurgia plástica e ela quer saber também por que você anda tão desleixada da própria beleza, "envelhecendo à toa", quando há no mundo tantos cirurgiões competentes, que esticam a pele das madames e tentam resgatar-lhes o perdido viço da juventude. Tinha diante de mim a sua dura fotografia e, então, fiquei pensando que reação teria a moça no outro dia, quando a visse no jornal. Acho que a moça chorou. Ah, Brigitte, acho que as pessoas não são mais capazes de ver a verdadeira beleza! Outro dia, um sensível amigo meu, Caio Fernando Abreu, ficou triste por ver nos jornais o rosto destruído de Rita Hayworth, que morreu de velhice precoce, enrugada e insana. Não compreendo: a beleza da juventude é uma coisa cara para nós, eu sei, e nossa pobre carne caminha tão rápido para o fim; mas será que a velhice é feia, é suja, é vil?

Querida Brigitte, que iluminou os meus mais doces sonhos de adolescente: olho sua fotografia da última quarta-feira e vejo no seu rosto a paz que você não tinha quando era bela e tentava matar-se repetidas vezes. Tempos atrás encontraram mais uma vez o seu corpo intoxicado de vinho e pílulas numa praia da Riviera. Quanta dor havia no seu rosto, meses depois, quando concordou em ser entrevistada na televisão e disse: "A gente passa a vida inteira cuidando do corpo, e tudo o que vejo agora é minha carne apodrecer". Ah, Brigitte: como essas coisas doem quando a gente não tem alguma coisa em que acreditar... Mas agora parece que você é feliz e espero não estar enganado. Pois olho os seus olhos que brilham por trás das rugas e acho que vejo neles a silenciosa paz de quem talvez tenha mesmo encontrado o seu rumo, depois de tanta dor e amargura.

Pois, hoje, você não é mais caçada como um animal pelos cruéis jornalistas e fotógrafos que só pensavam em seu corpo nu pelas praias, nos seus lábios, nos seus seios. E então você disse: "Odeio os homens, eles me repugnam. Nem os animais se comportam como eles".

Eu me lembro de sua amargura diante daqueles homens que matavam bebês focas a pauladas no Canadá: lembro-me da sincera dor no seu rosto ao abraçar-se com um daqueles bichinhos cujas narinas tremiam. É triste, eu sei. Aqui no Brasil, algumas vezes os homens espancam criancinhas abandonadas — estas crianças, Brigitte, que às vezes morrem trêmulas de frio debaixo das pontes e nas calçadas. Elas são tão frágeis quanto seus bichos e espero que um dia possamos encontrar um jeito de salvá-los todos: as criancinhas e os bebês focas.

Sei, Brigitte, que você escolheu cuidar dos seus bichos, e não do que lhe resta de beleza neste rosto cansado e neste corpo que já carrega tantas décadas de vida, e que isso a faz feliz. E que mais importa, neste contraditório mundo pelo qual apenas passamos, tão transitórios quanto vaga-lumes, abelhas, libélulas? Por isso, daqui do meu canto só posso dizer: seja feliz, então. Seja feliz, querida.

Sai dessa, Rita!

Alguns amigos meus não gostam da literatura que faço. Nem por isso deixam de ser amigos meus, nem eu de ser amigo deles. Uma vez escrevi que Roberto Drummond, um velho amigo meu, escrevia romances insuportáveis de ler. Estava sendo sincero. Roberto Drummond ficou magoado comigo, mas jamais perdemos o respeito um pelo outro. Posso dizer que continuamos amigos, mas não é por isso que às vezes dividimos o espaço nesta página deste jornal. Aqui não há lugar privilegiado para amigos: o Caderno 2 do "Estadão" é um jornal, e um jornal deve respeitar seus leitores.

Intelectuais, jornalistas, publicitários, artistas e outras categorias, mas principalmente as que lidam com ideias, costumam às vezes aglutinar-se naquilo que chamam de panelinha, grupo, seita, corriola, confraria. Independentemente das possíveis qualidades da arte ou do talento de cada um, eles se auxiliam mutuamente, facilitando empregos, concessão de prêmios, elogios, espaço nos jornais e nas revistas. Trata-se de uma troca. Muitas vezes um amigo aceita veicular mentiras. Às vezes, fabricam-se astros, estrelas, mitos. Um dia, claro, a estrela vira estrela cadente, embora sem a beleza das verdadeiras estrelas cadentes: o brilho apenas murcha, tristemente.

Tais considerações me vêm a propósito desse triste episódio envolvendo a superestrela Rita Lee e um dos críticos deste jornal, Luís Antônio Giron, de cujas ideias, respeitosamente, discordo, principalmente as que dizem respeito à natureza, à ecologia. Quase todos aqui tratamos de fazer deste Caderno 2 um suplemento democrático, aberto e arejado: nem sempre é possível, mas não por nossa intenção. Mais difícil que derrubar o autoritarismo dos outros é derrubar o autoritarismo que existe dentro de cada um de nós.

Pois Rita Lee, nossa grande, bem-humorada, engraçadíssima e sapeca estrela, não gostou do que Giron escreveu a respeito do último disco dela e telefonou para ele, irada e bruxenta — logo ela, que sempre vi vestida de fadinha, tão graciosa e meiga. E o que lhe disse? Disse que Giron era um canalha, um assassino, um torturador do DOI-Codi, um irresponsável, um burro, um imbecil. Durante mais de meia hora ela o humilhou pelo telefone, tentando "convencê-lo" de sua pequenez moral.

Eu jamais tinha conversado com Giron pessoalmente, mas achei-o simpático e sincero quando me fez o relato desse estranho diálogo telefônico noite adentro. Rita Lee, a doce Rita, a graciosa garota dos Mutantes, a dona dos nossos mais secretos sonhos adolescentes, queria acabar com o crítico e jornalista Luís Antônio Giron. Ouvi o relato dele, ouvi a fita gravada com a voz colérica e irônica de Rita Lee e pensei com os botões de minha amassada camisa: meu deus, que mundo louco!

Eu gosto da música de Rita Lee. Digamos que não goste tanto quanto gostei e gosto dos Beatles, quanto gostei dos Mutantes, quanto gosto, agora, da poesia das letras de Bono, do grupo irlandês U2, ou quanto gosto de Chico Buarque, de Milton Nascimento, meu amigo Bituca, de Raul Seixas ou do Caetano (não o de agora, prefiro o dos velhos tempos). Acho Rita Lee engraçadinha, sapeca, um exemplo para nossos filhos. Ainda não ouvi o disco novo dela, mas quero ouvir. Talvez eu goste — nem por isso vou xingar o Giron e o Alberto Villas, meu fiel escudeiro velho de guerra, que também não gostou do disco (logo ele, que gosta de quase tudo, com seu bondoso e amplo coração).

Sei que nenhum ser humano é máquina, ser insensível — as pessoas geralmente gostam do que fazem, quando não estão simplesmente engajadas no processo de embalar as coisas para vender a quem queira consumir. Não sei se é esse o caso de Rita Lee. Espero que não. Lembro-me de quando encenaram minha primeira (e única, talvez última), peça teatral, *Ekhart, o Cruel*. Foi uma encenação equivocada, mas, fascinado com ela, entreguei-me de corpo e alma ao projeto. Quanta ambição eu tive! A primeira crítica, de Sábato Magaldi, no *Jornal da Tarde*, acabou com tudo em poucas palavras. "Um tombo maior que a pretensão", resumiu o velho Magaldi. E lá fui eu, para o limbo dos autores teatrais fracassados. Foi duro, lembro. Digamos que doeu — e só. Pois logo veio, sereno, o tranquilo riso que sucede o espanto. A vida é maior que a arte. E a felicidade também. (*A peça acabou sendo encenada no Teatro Nacional de Brasília, com grande sucesso, e em outras capitais do país. Pena que Sábato não viu, mas ele não gostava era do texto. Ia achar ruim do mesmo jeito.*)

Alberto Villas, sempre "solidário", colecionou vários exemplares do livro com o texto da peça e passou a presenteá-los, como castigo, para os colegas que cometiam erros em seu trabalho, aqui na redação. Era um castigo severo: o criminoso tinha de ler a peça na íntegra e trazer uma resenha no dia seguinte. Durante um bom tempo o prêmio "Ekhart, o Cruel" foi concedido aos faltosos, omissos e relapsos. Nada como ter bom humor, mesmo na adversidade.

Penso que Rita Lee — nossa doce, graciosa, fraternal, sereníssima e sapequíssima Rita Lee — estava em um mau dia, sem dúvida, incorporando algum diabinho no corpo (e que diabo, nossa!), quando telefonou para o pacatíssimo Giron atrás de briga. Para que brigar, santo deus?! Vamos todos morrer e voltar ao mesmo pó da mesma terra, esse minúsculo pontinho que gira em torno do Sol, porção microscópica da grande galáxia: vale a pena perder nossas vidas em agressões mesquinhas? Não vale não.

É por isso, então, que eu digo: sai dessa, Rita! Apareça por aqui, nos dê um beijo no rosto ou na testa, baile conosco, ria e siga em frente, de frente ou de trás, com espuma ou sem espuma, do jeito que bem quiser. Faça do mundo gato e sapato, pinte e borde, deite e role, mas não perca o humor e a graça — é só o que nos resta, menina, nesses tristes dias difíceis. *(Rita Lee nunca superou essa crítica negativa. Anos depois ela contou a história, do jeito indignado dela, num livro de memórias. E me enviou também uma longa carta datilografada, muito irritada.)*

Herdeiros do nada

Em 1977, um ano antes de abandonar Minas Gerais em troca da cidadania paulistana, conheci na Avenida Afonso Pena, em Belo Horizonte, um músico de rua que se chamava Casquinha. O povo o tinha como mendigo, mas ele fazia questão de esclarecer que não pedia e jamais pediria esmolas: tocava sua flauta. Quem quisesse pagar pelo espetáculo era só deixar cair algumas moedas no seu velho e furado chapéu. Gordo, meio cego, diabético e neurótico, Casquinha só desaparecia do seu conhecido ponto na avenida quando a Saúde Pública o recolhia à força.

Tocava bem, e não eram poucos os que ficavam ali admirando-o, e quando parava explodiam aplausos. Um diretor de teatro deu-lhe emprego: de terça a domingo tocava flauta num canto do palco, enquanto se desenrolava, ao longo de duas horas, uma tragédia doméstica envolvendo duas mulheres que se odiavam. Atração especial, Casquinha tornou-se famoso na imprensa e acabou se apresentando nos programas do Chacrinha e do Sílvio Santos, como uma curiosidade. Quis então ser artista, mas riram dele e o expulsaram do estúdio. Pobre Casquinha. Em 1979, já vivendo em São Paulo, encontrei-o na Praça Patriarca, cego de um olho, cada vez mais gordo, doente.

Não me reconheceu. Voz fraca, quase surdo, já não tocava tão bem. Recusava-se ainda a ser chamado de mendigo, mas era o que era. Poucos paravam, agora, para admirar sua arte, que ele procurava sofisticar tocando também um tambor, com os pés, enquanto agitava chocalhos amarrados nos cotovelos. No alto da cabeça, prendera uma latinha com grãos de milho. E, enquanto soprava a flauta, fumava. Pobre coitado. Pobre Casquinha. Decadente, enquanto músico, procurava chamar a atenção fazendo malabarismos. Assim se apresentou num programa de calouros. Foi vaiado. Estava no fim.

Frágil e ingênuo Casquinha! Eu o vi uma vez mais, nem me lembro quando. Depois sumiu. Pode ter morrido por aí, numa noite gelada, talvez tenha sido enterrado como indigente — quem sabe? Quando vou a Belo Horizonte, ando pela Afonso Pena, e quando ouço som de flauta corro para ver se o encontro. Inútil: outros Casquinhas, menos criativos, mas da mesma forma desgraçados, deserdados, espalham-se por ali, recolhendo migalhas.

Um dia, passeando pelo centro da cidade, vi diante de uma grande loja uma criancinha gorda, cega e suja. Sentava-se no chão, de pernas abertas, olhinhos fechados, e movia-se de um lado para o outro ao som da música que extraía, serenamente — mas com que tristeza, meu Deus! — de um pequeno acordeão. Como se parecia com o velho Casquinha! Devia ter uns 11 ou 12 anos, mas o rosto sofrido aparentava mais. Enquanto tocava, entretanto, parecia fora do mundo, em êxtase.

E ninguém parava para ouvi-la.

Por todos os lados havia mendigos, alguns também vendendo dignamente sua música barata, mas a maioria só encostada por ali, exibindo sua miséria, seus lamentos, sua ferida, sua inevitável solidão. No meio deles, alguns loucos e alguns — poucos — mendigos falsos, tentando arrancar dinheiro de cidadãos ingênuos.

A repórter Alba Carvalho entrevistou um desses mendigos, ali mesmo no centro — e a história, terrível, cortava o coração. Era — tinha sido — um jornalista. Um jornalista mineiro, culto, 45 anos. Afirmava ter trabalhado nos *Diários Associados,* mas estava, naquele instante, relegado à mais subumana condição: a de morador de rua e pedinte. Voz firme, olhar duro e acusador, ele enfrentou a câmera, suportando dignamente a condição de entrevistado, ele que um dia fora entrevistador.

Eram ainda os tempos da Velha República. Hoje, tantos anos depois, eu me pergunto: onde andará Casquinha? Estará morto, toca flauta em Belo Horizonte, em Itaquera, Fortaleza, Manaus? Aquele colega caído em desgraça terá recuperado sua dignidade? O menino cego da frente da loja, que futuro o aguarda? Eu pergunto e ninguém responde. Nas praças e ruas e campos deste país tão grande e tão rico, homens frágeis e outros, que foram fortes, dividem com as crianças abandonadas o mesmo e triste destino dos deserdados.

Pois tudo continua igual.

Um homem bom

Morreu hoje, aos 82 anos, de câncer, meu grande amigo José Maria Mayrink.

Era jornalista.

Devo a ele o que sou (ou fui) como jornalista.

José Maria Mayrink, nascido em Jequeri, no interior de Minas Gerais, tinha sido seminarista e quase virou padre, mas desistiu a tempo de se casar com Maria José Lembi.

José Maria e Maria José, um casal perfeito. Ambos acreditavam em Deus e ficaram juntos quase 60 anos.

Mayrink ficou famoso no *Jornal do Brasil* e ganhou um Prêmio Esso de Jornalismo nos anos 1960.

Mas de repente, em 1977, nostálgico, vendeu a casa em São Paulo, largou o emprego e resolveu voltar para Minas Gerais. Aceitou ser um simples repórter na sucursal do *Jornal do Brasil*, onde eu era repórter. Foi quando o conheci.

Mas logo se desencantou com o jornalismo e a vida na província — voltar a Minas tinha sido uma ilusão. Como escreveu Drummond, Minas é só um retrato na parede, e como dói! — portanto, não volte nunca, pois o que você verá não será mais o que tinha visto (e vivido) no passado.

Ele retornou para São Paulo, para ser editor de Internacional no jornal *O Estado de S. Paulo*, o "Estadão". Eu tinha acabado de publicar meu primeiro livro, *Não passarás o Jordão*, que tinha Vladimir Herzog como um dos personagens. Passei a escrever para o *Pasquim*, o jornal de esquerda que desafiava a ditadura militar, e fiquei famoso no meio universitário. Tinha 25 anos, e era uma espécie de rebelde que desconhecia o perigo, escrevendo coisas como "De como estrangular um general".

Pois no final de 1977 recebi dois convites para deixar Belo Horizonte e vir para São Paulo: um, do escritor e jornalista, também mineiro, Humberto Werneck, para ser editor-assistente de Arte e Cultura na revista *Veja* (na qual ele era editor) e outro — recomendado pelo Mayrink — para ser repórter especial no "Estadão". Entre as Artes e a Reportagem, optei pela Reportagem, e comecei no "Estadão" no dia 8 de fevereiro de 1978.

Eu recebia miseráveis quatro mil, novecentos e cinquenta cruzeiros na sucursal do *Jornal do Brasil* e complementava minha renda ganhando prêmios literários. Fui ganhar 30 mil no "Estadão". Não sem antes dar uma entrevista ao *Pasquim*, que saiu com esse título: "Luiz Fernando Emediato: Eu cuspo nos prêmios que recebo".

Eu queria dizer que não dava tanta importância aos prêmios, mas pareceu muita arrogância e empáfia.

O escritor Ignácio de Loyola Brandão, autor do censurado *Zero*, que tinha sido jurado no Prêmio Casa de las Américas, de Cuba (que eu, aliás, não tinha ganhado, nem sei se concorri), ficou indignado e escreveu uma resposta, que o mesmo *Pasquim* publicou.

Nesse artigo, Loyola escreveu que eu me sentava diante da máquina de escrever não para fazer literatura, mas para ganhar prêmios, e concluía mais ou menos assim, cito de memória: "Deve cuspir sim, mas é no cheque, antes de ir ao banco trocar por dinheiro".

Loyola — ficamos amigos anos depois, é claro — tinha razão. Naquele desespero para sobreviver em tempos difíceis, mal remunerado e quase sempre fugindo da Polícia Federal, com mulher e filho desde os 24 anos, quando escrevia eu só pensava mesmo em ganhar algum concurso que pagasse bem. Com o dinheiro dos prêmios, comprava comida e móveis para a casa.

Chegando ao "Estadão", tudo mudou. Dei uma guinada na carreira, e isso devo ao Mayrink.

Devo a ele também um dos principais prêmios que recebi, o Rey de Espanha, em 1981 ou 1982.

Os guerrilheiros da Frente Farabundo Martí de Libertação Nacional — FMLN avançavam em El Salvador, e o governo Reagan mandou "conselheiros" para o país. Mayrink — que cobrira a morte do bispo Don Oscar Romero — por algum motivo não pôde ir, e lá fui eu, no lugar dele.

Como nunca tinha coberto guerra ou guerrilha, por pura inexperiência saí a campo mostrando — como escritor — os efeitos da guerra na sofrida população salvadorenha. Claro que depois vi que tinha que ir às embaixadas buscar informações sobre a guerra em si, como faziam os jornalistas mais experientes. E eu tinha uma lista de fontes da guerrilha, do governo e de embaixadores — todas, claro, do caderninho do Mayrink!

Pedi ajuda a dois jornalistas brasileiros que estavam no mesmo hotel que eu — o luxuoso Camino Real, transformado em *bunker* pelos jornalistas do mundo todo que estavam em El Salvador. Um era da *Veja* e o outro do *Jornal do Brasil*. Não me deram atenção, e restou-me juntar-me a uma equipe de TV de colombianos suicidas e ao fotógrafo *freelance* brasileiro Juca Martins. Os colombianos também ganharam o prêmio espanhol na categoria TV (eu ganhei na categoria "crônica"). As fotos de Juca Martins foram vendidas para as principais revistas do mundo.

Escapamos de tiroteios e bombardeios. Vi gente matar e vi gente morrer. Jovens, rapazes e moças varados de balas, crianças decapitadas, corpos jogados num vulcão. Cenas que Oliver Stone mostrou depois em seu filme *Salvador*. Varamos o país de um lado ao outro, olhando a guerra de perto. Devo tudo isso ao José Maria Mayrink, meu amigo e professor.

Voltei da guerra transformado em outra pessoa.

Ainda no "Estadão", criei uma pequena editora (EMW Editores) para publicar um livro meu, *Geração Abandonada* (reportagens premiadas com o Esso de 1982), e nela publiquei três lindos livros do Mayrink: *Solidão*, reportagens emocionantes sobre a solidão nos grandes centros urbanos, *Filhos do Divórcio* e *Anjos de Barro*, sobre crianças deficientes. Pura emoção.

Anos depois, já dono da Geração Editorial, publiquei *Vida de Repórter*, no qual ele contava como havia feito suas grandes reportagens. Todo jornalista devia ler este livro.

Nos plantões noturnos do "Estadão", sem ter muito o que fazer, eu ia vê-lo na Editoria Internacional e perguntava, insistentemente:

— Mas como você pode acreditar em Deus, Zé?

E ele, paciente, generoso, diante de meus pecados, respondia com outra pergunta:

— E como você pode não acreditar, Luiz Fernando?

Se deus existe, José Maria Mayrink está agora nos braços dele, puro e sem pecado. Foi justo. Foi bom. Nosso mestre, nosso amigo, nosso pai e nosso irmão.

A solidão do criador

Lá por volta de 1986 eu tive uma experiência inesquecível. Fui entrevistar um dos mais famosos músicos brasileiros, conhecido por sua timidez e laconismo, e ele, muito à vontade, discorreu durante quase três horas sobre sua infância, sua pobreza, sua emocionante luta para ser um dia um grande artista, aquele que vai sempre onde o povo está, para dividir com ele o embriagante pão da poesia.

Quando publiquei esta crônica eu não identifiquei quem era, embora pareça óbvio para quem o conhece e admira. Vou identificar agora, mas só no final do texto. O que eu quero dizer é que, no final da conversa, gravador já desligado, ele olhou para o mar através da janela — estávamos no Rio —, suspirou profundamente, virou-se para mim e disse:

— Eu queria dizer mais uma coisa.

Esperei, surpreso, e então, como se queixasse, ele falou:

— Engraçado. A gente canta em tantos lugares do mundo, para 5 mil, 10 mil, 15 mil pessoas, e então elas dançam, algumas choram, aplaudem, vibram com minha música. É como se fosse uma missa, com emoções compartilhadas — mas depois todos vão embora e eu vou para o camarim e fico lá sozinho. Depois eu vou sozinho para o hotel, ou para a minha casa, e me pergunto: para onde foram as pessoas?

Silêncio. Ele respira, olha para a parede vazia, baixa os olhos e conclui:

— Eu me sinto muito solitário.

Todos nós sofremos, uma vez ou outra, por causa da solidão. Eu me lembro de quando estava em El Salvador, cobrindo a guerra civil, e à noite, sozinho no meu quarto de hotel, não tinha com quem dividir o sofrimento por ter visto, durante o dia, tanto horror: crianças mortas a tiros e bombas, jovens esquartejados e queimados, soldados quase crianças lutando contra seus parentes guerrilheiros.

Em 1978, quando escrevi uma série de reportagens sobre a cidade de São Paulo e as pessoas que nela viviam, descobri uma coisa desconcertante: há em São Paulo 300 mil pessoas que moram sozinhas, em pequenos apartamentos, no espaço vazio das mansões, debaixo das pontes e dos viadutos e até — pasmem

— nos túmulos vazios dos cemitérios, como no do Araçá, onde vivia uma moça num belo túmulo-capela. Em São Paulo, informam as frias estatísticas do IBGE, todos os dias pelo menos dez pessoas tentam matar-se, de tédio, desespero — ou solidão.

Muitas delas não são realmente solitárias — convivem com seus familiares, têm amigos, trabalham em ambientes onde dezenas de pessoas compartilham com elas, diariamente, seus pequenos ou grandes problemas pessoais. Um dia o jornalista José Maria Mayrink escreveu uma série de reportagens, depois publicadas em livro, *Solidão*. Mayrink descobriu, de maneira comovente, a solidão dos que vivem num grande aglomerado urbano. Milhões de pessoas juntas. E, apesar disso, solitárias.

Eu estava aqui pensando na terrível solidão do congressista honesto — coisa rara, hoje em dia — que chega ao Congresso, em Brasília, vai ao plenário e discursa, solitário, para um ou dois companheiros. Ou de algum presidente da República — qualquer um, não precisa ser o atual — que, na solidão de seu gabinete, tem de decidir sobre o destino de mais de 200 milhões de brasileiros.

Pensando, entretanto, na solidão de uns e outros, no amargo isolamento dos que sonham em dividir com alguém um sorriso, uma palavra amiga, uma opinião, volto ao início desta crônica: é terrível, sim, a solidão do artista. Porque o artista se entrega, de corpo e alma, aos que buscam sua arte, e ele se entrega porque tem necessidade de amar e ser amado. O mais amargo nesta história toda é que, quanto mais querido, quanto mais amado, mais solitário às vezes ele pode ser. Tão solitário quanto por exemplo os escritores. Quando, no silêncio de seu gabinete, eles têm apenas um papel entre seus dedos e a máquina, os escritores são, sem dúvida, os mais solitários dos seres.

E sim, o personagem melancólico do início desta crônica é Milton Nascimento, meu amigo Bituca, hoje menos solitário, pois encontrou e adotou um filho querido, com quem mora em Juiz de Fora, nas suas, nas nossas Minas Gerais.

O dia em que tentamos salvar a presidente da República e empurrei o escritor Raduan Nassar numa cadeira de rodas

Convivi com o lendário escritor Raduan Nassar nos anos 1970, quando eu, com meus 25 anos, e ele com 39, acreditávamos que nossa literatura poderia mudar as pessoas, e estas o mundo.

Quanta ilusão!

Eu o vi poucas vezes nas décadas seguintes. Mas coube a mim, em março de 2016, convencê-lo a ir a Brasília para um encontro de artistas e intelectuais em apoio à presidente Dilma Rousseff, que já cambaleava diante dos que tentavam derrubá-la e acabaram conseguindo.

Ivana Jinkings, da editora comunista Boitempo e o petista Renato Simões, da presidência da República me deram as coordenadas e telefonei para Raduan. Aceitou na hora, mas avisou: não estou andando direito, não sei se consigo chegar lá sozinho. Você me leva?

Peguei-o em casa, levei-o ao aeroporto, fomos juntos rindo de nosso passado cheio de sonhos irrealizados. Raduan estava com a cabeça em outro lugar do planeta: revoltado e deprimido com a estupidez humana e os conflitos raciais, religiosos e políticos no Oriente Médio.

Mas lá fomos. Eu não entrava no Palácio do Planalto desde 2013, quando eu e o então ministro do Trabalho Brizola Neto tivemos que deixar o governo, pois a presidente precisava devolver o ministério aos políticos de um partido que ia apoiá-la na reeleição. O jovem ministro — neto de Leonel Brizola — tinha sido ministro por 11 meses e eu, por puro afeto, aceitei assessorá-lo, e de tal forma que virei ministro de fato; eu conduzia a burocracia e os projetos do ministério e ele, feliz, cuidava de atender os políticos e sindicalistas — a parte mais difícil e delicada.

Entrei ali com meu querido escritor, que arrastava os pés com dificuldade e ficamos num cantinho, esperando a presidente e vendo passar por nós umas dezenas de celebridades. Renato Simões me indicou a cadeira — primeira fila — na qual Raduan deveria se sentar e mais nada. Escolhi para mim um canto qualquer onde eu pudesse ficar de pé e de olho em meu amigo.

Raduan tinha um sorriso maroto no rosto e apertava um pequeno papelzinho amarrotado.

— O que é isso? — perguntei.
— Meu discurso — respondeu.

Tinha menos de dez linhas. Se tanto.

Dilma passou por nós com seu séquito, abraçando um e outro. Quando viu Raduan, pareceu comover-se e deu-lhe um longo abraço. Sobrou para mim um olhar penetrante e um silencioso levantar de sobrancelhas, tipo "Você de novo por aqui?".

Muita gente discursou e já era quase meio-dia quando chamaram Raduan ao microfone. Ele caminhou vagarosamente até lá, debaixo de um silêncio absoluto. Quem o conhecia se abismava: "Mas ele está vivo?". Quem não o conhecia resmungava: "Quem é esse?".

Os jornais no dia seguinte haveriam de escrever que "há anos recluso, o escritor Raduan Nassar surgiu em público nesta quinta-feira (31 de março de 2016), no Palácio do Planalto, num ato de apoio à presidente Dilma Rousseff".

E dá-lhe transcrição do discurso minúsculo e preciso.

Raduan Nassar disse bem claro que Dilma não tinha cometido crime de responsabilidade e, por isso, não havia motivos para o processo de *impeachment* que tramitava contra ela no Congresso Nacional.

— Não sou filiado a partido político. Falo, pois, com a liberdade que me concedo. A presidenta Dilma Rousseff não cometeu crime de responsabilidade. Repito: não cometeu crime de responsabilidade. Os que insistem no afastamento da presidenta atropelam a legalidade, subvertendo o Estado Democrático de

Direito. Os que tentam promover a saída de Dilma arrogam-se hoje, sem pudor, como detentores da ética, mas serão execrados amanhã. Não tenho dúvida.

Falou, colocou o papelzinho no bolso da jaqueta e voltou devagarinho para seu lugar. Me procurou com o olhar e piscou, como a dizer: "Cumpra o combinado".

O combinado era escapulir no meio da muvuca que se formou no fim do ato, artistas abraçando Dilma e jornalistas catando os oradores para entrevistas. Para tristeza de meus amigos jornalistas, "extraí" Raduan da multidão como um agente de segurança "extrai" alguém em perigo de morte ou sequestro.

Alcançamos a Praça dos Três Poderes, pulamos dentro do primeiro táxi que passou e chegamos cedo demais ao aeroporto. Decidimos então almoçar e nos enredamos de tal forma numa conversa sobre passado, anseios e frustrações que não vimos o tempo passar.

Dei um pulo quando me dei conta do horário e gritei: "Raduan, vamos perder o voo!".

E ele, perplexo: "Me desculpe, vou lhe dar trabalho".

Paguei a conta e tentei correr. Raduan gemia, dava dez passos e sentava-se. "Eu não aguento, vai você!" Imaginem. Como eu poderia deixá-lo para trás?

Avançávamos cada dez metros como se cada dez metros fossem uma conquista olímpica e de repente ouvimos nossos nomes nos alto-falantes. Última chamada, e nominal! Raduan me lançou um olhar suplicante. Olhei em volta, o portão de embarque estava ainda longe e nós dois éramos a desolada imagem da derrota.

De repente, a salvação: vi uma cadeira de rodas da Gol encostada ao lado de um portão de embarque e não tive dúvida: sequestrei a cadeira em nome de uma boa causa, joguei Raduan em cima dela, puxei tanto ar quanto pude e saí em desabalada carreira pelo aeroporto, vermelho e bufando.

Raduan gargalhava e gritava: "Seu louco, você vai morrer de infarto e vai me matar junto, pare!".

Mas não parei. Chegamos ao nosso portão no último segundo e antes que os comissários da TAM o terminassem de fechar eu berrei: "Parem, são dois idosos deficientes chegando para o embarque!".

Perplexos, eles reabriram o portão, Raduan se levantou da cadeira da Gol, joguei-a ao longe e entramos triunfalmente no avião, onde, nas primeiras filas, o escritor Fernando Morais olhava para nós como se fôssemos extraterrestres.

— Só faltava essa, vocês dois atrasarem o voo — resmungou o lendário autor de *A Ilha*, mastigando seu charuto imaginário e voltando os olhos, pachorrento, para o jornal que lia.

5
CAMINHOS

Entre a loucura e o sonho

Entre nós e o mundo erguia-se, imponente e bela, a montanha, a serra azul, a inatingível ponte para o delírio, a miragem, o sonho. Naquele tempo Bocaiúva era apenas um triste lugarejo perdido no meio de um vale, que o Brasil mais tarde veio a conhecer como o Vale da Morte, o incrível lugar onde as crianças morriam de sarampo e fome, enquanto seus pais revolviam os montes na inútil busca de prata, pedras preciosas, diamante e ouro.

A cidade tinha poucas ruas, e em 1962 o cavalo ainda era o mais eficiente meio de transporte, mais rápido e seguro que os inconstantes trens da Central do Brasil, que passavam apitando, na direção do Sul, cheios de baianos, viajantes, bois e vazios na direção do Norte. Da rua principal desta cidade via-se então a montanha com uma cruz no alto, aquela montanha em cujo cimo o avô do menino pediu para ser enterrado e até hoje não lhe fizeram a vontade.

O menino gostava de ler, mas na cidade não havia livros. Ele tinha 11 anos, talvez dez, e na sua pobre escola havia uma caixa com seis livros estraçalhados e incompletos — um deles era *Os Três Mosqueteiros,* que o menino lera quatro vezes. As professoras desnutridas, com seus seios murchos e olhos fundos, olhavam desconsoladas para o menino, quem sabe até chorassem quando ele fazia perguntas que elas não podiam responder. A vida era então um lento e vago suceder de dias vazios e sem sentido, os cavalos passando na rua, os homens olhando-se nos olhos com ódio e inveja, as mulheres tristes andando atrás deles e o tempo escoando, escoando, igual para todos, para sempre igual. Na estação das chuvas as mariposas morriam estilhaçadas nas luzes dos postes, a água escorria vermelha pelas ruas descalçadas, as outras crianças corriam descarnadas atrás de seus frágeis barquinhos de papel. O menino olhava.

Um dia disseram ao menino que do outro lado da montanha havia uma casa onde vivia um homem que gostava de livros. Os olhos do menino brilharam e todos os dias ele descia a rua olhando para a montanha lá longe, intransponível, soberba, azul e linda. O tempo passava, escorria entre os dedos como a água da fonte, e o menino sonhava com um baú cheio de histórias, mistérios, um mundo que ele precisava descobrir, se um dia tivesse coragem.

Quando esse dia chegou, luminoso como se fosse o último dia de felicidade na face da Terra, o menino considerou que no mundo não existiam mais barreiras e distâncias e desceu solenemente a rua, na direção da montanha. Cruzou o pátio de uma igreja que já não existe, olhou duramente o rosto enrugado de um padre, venceu um riacho, atravessou uma pastagem e embrenhou-se no mato, andando reto e firme na direção do seu destino.

Mas as distâncias existiam, assim como os insetos, o abismo e a sede. A natureza rugia em volta, espantando o menino com sua força. Mas ele insistiu e seguiu em frente, escalando as pedras, resvalando entre as árvores, arrastando-se, chorando de raiva e fúria, enquanto o suor se misturava à poeira de seu sonho e tentava transformá-lo em barro.

Mas a fúria foi maior que a montanha, e um século depois ele descia os montes, cruzando novamente rios, tropeçando nas pedras, aquele menino frágil que já necessitava, quem sabe, de óculos. Ele já podia ver, lá embaixo, no fundo do vale, a pequena casa do homem dos livros. Foi como se estivesse entrando no paraíso que ele empurrou lentamente a porta, viu o baú no fundo da sala, abriu-o e caiu prostrado diante do inestimável tesouro. Sim, havia livros, milhares de livros, tesouros contando histórias de outros tesouros, ilhas, mulheres nuas, piratas, monstros e fadas, montanhas, crianças silenciosas viajando nas frágeis asas do sonho e da ilusão. Sim, ele tinha chegado. Precisava urgentemente fazer o caminho de volta, mas naquele momento raro entre a loucura e o sonho ele não pensava em mais nada. Não queria saber de voltar.

O quarto do silêncio

Tudo o que desejava era poder amar alguém. Sentia-se, porém, tenso e seco — estéril. Um corpo inerte perdido num mar de sargaços, círculos, redes, parábolas, espelhos. Não, não era um mar, era um quarto. Quatro paredes brancas e lisas, nenhum móvel, e um espelho. E o silêncio. O silêncio lhe fazia bem, e no primeiro dia, diante do espelho, ele se recompôs da angústia. Mas no segundo dia sentiu fome e descobriu que nada havia para alimentá-lo.

O Quarto do Silêncio não tinha portas ou janelas. Jamais soube como pudera entrar ali. Só sabia que ali estavam ele, o quarto e o espelho. Poderia ter chamado o quarto de Quarto do Espelho, mas o silêncio era maior que o espelho e chamou-o então Quarto do Silêncio. Não que tivesse importância dar nome às coisas — era o hábito, apenas, nada mais.

No primeiro dia não se olhou no espelho — foi no segundo dia que o fez. A sós com seu rosto, sofreu com a impotência e com o imutável escoar dos segundos, das horas, dos dias. Naquele segundo dia não ficou irritado com o vazio, a imutabilidade. Era a fome o que o fazia sofrer. Não tanto, talvez, quanto o sofrimento imposto pela visão de seu rosto no espelho — pois não conseguia fugir de sua imagem, e isto o fazia sofrer mais que a fome.

Jamais soube quantas horas, dias, meses ou séculos permaneceu ali, no Quarto do Silêncio, sem comer, sem dormir, olhando com insistência para aquele rosto odiado que o fitava, a cada dia mais magro, agressivo e feroz. Ele se lembra que no sétimo dia — quando deixou de contar o tempo e se perdeu no curvo espaço do delírio e da fome — indagou, surpreendido, como pudera permanecer vivo durante tanto tempo. Ninguém respondeu.

Foi naquele sétimo dia que finalmente voltou as costas para o espelho. Nada descobriria ali, jamais encontraria no seu próprio rosto as respostas para tantas e tão amargas perguntas. Derrotado então por sua própria imagem, jogou-se ao chão e chorou. O pranto deu-lhe alívio. Horas depois, saciado, sentiu-se forte e sem fome.

Mas nada aconteceu.

Muito, muito tempo depois decidiu levantar-se. Os dias passados em posição horizontal convenceram-no de que era inútil curvar-se sob o peso da dor e da amargura. Precisava lutar, ainda que derrotado pela absurda circunstância de estar ali, prisioneiro de sua própria imagem.

De pé, gritou para as paredes. O eco repetiu seu grito três vezes e ele sorriu. Se gritasse poderia ouvir sua voz repetida três vezes: teria então três companheiros no Quarto do Silêncio.

Um dia, entretanto, cansou-se de gritar. Seus três companheiros não tinham corpo e carne, eram apenas voz. Sua garganta estava rouca e, ao ouvir a terceira voz que repetia a sua, assustou-se com ela. Não era a sua voz. Caiu novamente ao chão, chorou, gemeu, urrou. Ali, sozinho com seu medo, sentia saudades da mulher que amava, dos filhos, dos livros, dos nobres sentimentos que o animavam antes de ter caído prisioneiro no Quarto do Silêncio.

Desesperado, decidiu então morrer, matar-se. Para suicidar-se necessitava, porém, de alguma droga, de um edifício do alto do qual se pudesse jogar, de uma arma, uma corda, um objeto cortante. Mas nada mais havia no Quarto do Silêncio além dele e sua imagem. Sua imagem refletida no espelho. Para morrer, então, precisava quebrar o espelho, cujos estilhaços serviriam para que abrisse as veias. Quebrar o espelho implicava abolir sua imagem. Teve medo de não conseguir matar-se e, sem o espelho, ser obrigado a viver sozinho no Quarto do Silêncio.

Armou-se, entretanto, de coragem e caminhou até o espelho, esticou o braço, esmurrou-o. Os estilhaços voaram e ele se viu diante da grande janela que o conduziu para a liberdade.

E então desistiu de morrer.

As ilusões perdidas

Nunca pude saber seu verdadeiro nome. Eu o conheci num dia qualquer de 1982, quando o vi distribuindo socos e pontapés para todos os lados, na estação São Bento do metrô, durante um *show* de *rock*. Era um careca do subúrbio, a *gang punk* mais temível da periferia, e eles estavam ali para acabar com a alegria de todos. E com que alegria eles acabavam com a alegria dos outros!

O fotógrafo João Pires, de *O Estado de S. Paulo*, estava comigo e tinha feito uma foto dele, de costas, algumas horas antes do tumulto. Essa fotografia foi publicada numa grande reportagem de dez páginas sobre esse tipo de jovens, uma história que recebeu o título de *Geração Abandonada* e acabou depois editada em livro.

Ela tinha sido publicada havia vários meses quando, numa tarde cinzenta e fria, uma tarde paulistana, um jovem magro entrou pela redação do *Estado* e perguntou por Luiz Fernando Emediato. "Sou eu", respondi. O rapaz olhou bem fundo nos meus olhos e disse: "Eu vim buscar uma fotografia". Era a fotografia dele. O rapaz tinha o recorte do jornal nas mãos de unhas lascadas e sujas. A mão dele tinha calos. Era um trabalhador.

Soube, então, que ele tinha morrido.

O careca do subúrbio tinha morrido.

Fiquei olhando para o rapaz sem saber o que dizer, nós dois ali, frente a frente, ele duro e triste, com o pedaço de jornal roto e amarelo entre os dedos. A fotografia de um morto.

O rapaz morto tinha sido um *punk* de periferia, não um *punk* de butique, um pó de arroz pintado como esses que passam como fantasmas pelos porões do bar Madame Satã, mas um trabalhador, um rapaz que tinha ódio de outros rapazes, que olhava com desprezo e náusea para uma sociedade injusta que não lhe dera a oportunidade de ser igual aos ídolos que ele, ingênuo, admirava.

Ele sonhava com um mundo em que as pessoas tivessem as mesmas oportunidades, os pais não espancassem os filhos, os professores e chefes não impusessem suas ideias e os companheiros não o agredissem — um mundo em que pudesse gostar da sua música, aquela música barata que importunava os ouvidos mais refinados, mas que para ele era a verdadeira música dos céus.

Morreu num raro domingo de sol, nas águas da represa de Guarapiranga. Estaria bêbado, drogado? Sim, talvez, diz o amigo dele timidamente, quem sabe? Ele gostava de sonhar. Ele fugia das coisas duras da vida, da incompreensão, da amargura de ser visto pelas ruas como um pária.

Agora ele está morto.

Não tinha lido minha reportagem, que tanta gente não entendeu. Se estivesse vivo poderíamos talvez conversar sobre o assunto, tentar achar uma resposta para nossas dúvidas, essa grande incerteza. Eu lhe pediria que não espancasse outros rapazes, como tentou fazer naquela tarde. Ele odiava os roqueiros e batia neles por uma razão estúpida: os roqueiros não tocavam música *punk*.

Ele fazia parte desta geração de jovens que os pais nem sempre entendem, e que se afundam cada vez mais na tristeza e na orfandade. São uns drogados, diz um parente meu, um homem duro e autoritário, desses que apanharam dos pais e acham que devem também bater nos filhos.

Não é assim que se educam homens.

Claude Olievenstein, autor do livro *Drogados não são felizes*, tem uma frase muito feliz a respeito de jovens, drogas e sonhos. Ele diz que em nenhuma outra época na história da humanidade tantos jovens se drogaram tanto, em tantas partes do mundo. A droga avançou sobre nós nos anos 1960, a ânsia de sonhar cresceu nos anos 70 — quando acabamos perdendo o verdadeiro sonho — e agora, nos anos 80, desaba outra vez sobre nós.

Os trabalhadores dos Andes, diz Olievenstein, mascam folhas de coca não para alcançar um *brilho*, mas para fugir da fome. E os jovens de hoje, que fome eles têm? Aquele careca do subúrbio tinha uma grande fome — mas agora ele está morto, nada podemos fazer por ele. Outros como ele, entretanto, andam pelas ruas desta grande cidade — e nós olhamos para eles com ironia e desprezo.

Até que um dia, numa triste tarde qualquer, um irmão deles chega diante de nós brandindo um jornal velho, atrás de uma lembrança que torne sua vida menos triste e solitária. Uma fotografia.

Foi só isso o que restou.

O caminho de Samarcanda

Esta semana recebi aqui no jornal um livrinho doce e sensível. Chama-se *Seranizo* e foi escrito por alguém de 22 anos, Flávia Vaccaro, que não conheço nem sei como é. São versos cheios de ternura e encantamento, de amor e serenidade. Ou de *seranidade*, pois Flávia criou um novo verbo, *seranizar*, que significa emanar e receber energia universal, evoluir, elevar, evoluir o corpo e a mente. *Seranidade*, então, significaria plenitude, tranquilidade, quietude. E *serano*, claro, viria dos seres seranos, limpos e transparentes. Seres assim tão seranos só podem existir infelizmente no imaginário mundo de Samarcanda, que Flávia imagina existir em algum lugar, talvez não deste mundo sombrio em que vivemos, mas naquela secreta região onde habitam nossos mais caros sonhos — quem sabe a Pasárgada de nosso querido Manuel Bandeira.

Jamais tinha ouvido falar de Flávia Vaccaro, mas me fez bem ler sua poesia simples e verde, pouco depois da meia-noite, na silenciosa e vazia redação do jornal. O livro tem versos que ela fez ainda aos 13 anos, vejam só. Ninguém deve buscar neles a beleza poética de alguém já vivido e experiente, mas felizmente não têm a frieza dura e sem emoção dos concretistas, ou aquelas novidades estéreis de pseudovanguardistas encantados só com o jogo, jamais com o que, por trás do jogo, rico, se esconde.

Flávia Vaccaro anda — ainda timidamente, é claro — pelos mesmos caminhos sagrados de Adélia Prado, Cecília Meireles, Flora Figueiredo, Emily Dickinson. Não é uma poesia acabada. Vejam bem, não estou anunciando aqui a descoberta de nenhum novo poeta excepcional. Mas é bom saber que nesta cidade dura e cruel existe alguém sonhando com Samarcanda, seres solares, diamantes, harmonias celestes, doçuras, luares, magias. Vai firme, Flávia! Em algum lugar sereno e tranquilo a poesia te espera.

Foi uma semana bonita, esta que passou. Trabalhei muito, mais do que devia, e não vi meus filhos tanto quanto gostaria, tão cheio de atribulações, a agenda apertadíssima depois de um tranquilo mês de férias. Mas foi uma semana bonita por causa de Flávia e chegou de Belo Horizonte a letra completa da *Carta à República*, uma das canções do novo disco de Milton Nascimento, que começa a ser mixado amanhã em

Los Angeles. Milton viajou para lá na semana passada, com Márcio Ferreira a tiracolo. Não sei que música Milton pôs na letra de Fernando Brant, mas é bom saber que, assim como Flávia Vaccaro, também eles estão sonhando com Samarcanda.

Milton foi um dos que sonharam com a Nova República. Bem que avisei que aquilo não ia dar certo, mas, como tenho o péssimo hábito de ser mais pessimista que o humanamente necessário, torci, aqui do meu canto, para que estivesse errado, e Milton (assim como outros), certo. Mas o sonho, que pena!, morreu. Ulysses Guimarães foi vaiado esta semana. Mereceu.

Sempre acreditei — como o bom Milton — que todo artista tem de ir aonde o povo está, e para mim foi uma surpresa vê-lo emprestando sua encantadora voz não ao povo, mas aos discursos daqueles políticos tão ultrapassados quanto demagógicos, que, dos palanques "oposicionistas", chamavam o povo para derrubar a ditadura. Fizeram um acordo com ela e deu no que deu: o presidente da República eleito em eleição indireta, denúncias de corrupção, mentiras. E impunidade.

A revista *Veja* publicou no domingo passado um trechinho da *Carta à República*. Vale a pena ler — e aí está, em primeira mão — a letra completa. É singela, não tem nada da poesia comovente de *Travessia* — mas como fazer poesia num ato político como este, de rompimento, quase um manifesto? Leiam.

Carta à República

Sim, é verdade, a vida é mais livre.
O medo já não convive nas casas,
nos bares, nas ruas
com o povo daqui
e até dá pra pensar no futuro
e ver nossos filhos crescendo,
sorrindo,
mas eu não posso esquecer a amargura
ao ver que o sonho anda pra trás,
e a mentira voltou,
ou será mesmo que não nos deixara?
A esperança que a gente carrega
é um sorvete em pleno sol.
O que fizeram da nossa fé?

Eu briguei, apanhei,
eu sofri, aprendi,
eu berrei, eu chorei, eu sorri,
eu saí pra sonhar meu país
e foi tão bom, não estava sozinho.
A praça era alegria sadia,
o povo era senhor,
e só uma voz, numa só canção.

*E foi por ter posto a mão no futuro
que no presente preciso ser duro
e não posso me acomodar:
quero um país melhor.*

Nós também, Milton. Nós também, Fernando. A República move-se, gorda e corrupta, na mentira e no cinismo, na infecta hipocrisia dos fariseus. É bom ver vocês dois dando o seu recado, não fugindo à luta, não perdendo tempo com performances caretas, concretas e secretas. A hora é agora — e é preciso lutar. Com palavras, versos, signos, música e tempestade. É preciso não perder a esperança. Seranizando ou não, sendo doce ou duro quando necessário, firmes no caminho de Samarcanda. Viver é lutar.

Os alegres e amargos tempos da ditadura

A revista *Escrita* voltou, mas os velhos tempos, estes, felizmente eu acho que não voltam mais, pelo menos para nós, que os vivemos debaixo de apreensão, morte e alegria. Explico: a revista *Escrita*, e dezenas de outras iguais, nasceram quando vivíamos debaixo de uma ditadura feroz. Um sistema sombrio e cruel assassinava pessoas como Vladimir Herzog e Manoel Fiel Filho, porque, sendo o primeiro jornalista, e o segundo operário, tinham os dois cabeças que pensavam sozinhas em vez de seguir outras, como os atuais cordeiros dessa geração *dark-chic* que só não corre atrás de um fanático porque não surgiu ainda o louco capaz de conduzi-los para o abismo.

Naquele tempo nós vivíamos apavorados com a ideia de um dia sermos sequestrados em nossas casas, mas nós nos alegrávamos, paradoxalmente, com a possibilidade de resistir. E resistíamos, editando revistas, jornais, panfletos e papéis mimeografados que espalhávamos pelo país inteiro, com nossas ideias, nossos contos, nossos poemas, nossos gritos exigindo liberdade e democracia.

Wladyr Nader, um desses visionários que ninguém teve coragem de meter num hospício, vendia tudo — seu carro, sua casa, o que tivesse — para financiar uma revista que enchia de versos, histórias e diatribes juvenis. Meu Deus, como era divertido receber pelo correio ou buscar na banca a *Escrita*, o *Versus*, a *Ficção*, a *José*, a *Anima* e até *O Saco*, um jornal verde impresso em Fortaleza, e no qual publicava seus contos uma aprendiz de escritora, Joyce Cavalcanti, que era casada com um major e um dia me acusou de ter plagiado um conto dela para ganhar um concurso de histórias eróticas.

Domingos Pellegrini Junior, de Londrina, era naquele tempo um incendiário feroz, que amava Brecht e Marx e acreditava na revolução para daqui a pouco. Caio Fernando Abreu, em Porto Alegre, escrevia comoventes histórias soturnas numa velha máquina de escrever que tinha até nome: Virgínia Woolf, a escritora suicida. Julio Cesar Monteiro Martins tinha apenas 20 anos, mas de Niterói ele espalhava pelos quatro cantos do país versos e contos sangrando de emoção, e entrevistas nas quais se proclamava o maior gênio juvenil de todos os séculos. Quanta ousadia!

O *Pasquim* publicou um livro com nossos contos, "denunciando-nos", para a ira dos mais velhos, como um grande acontecimento histórico no arraial das letras. Quanta petulância! Falava-se num grupo de *novos* e noutro de *novíssimos*. Nós éramos os *novíssimos*. E agora, que já temos barriguinha, Julio Cesar não é mais criança e Caio está meio careca?

De todas as revistas da época, *Escrita era*, sem dúvida, a mais viva e polêmica. Poetas marginais polemizavam com os estabelecidos, os irmãos Campos terçavam armas com Mário Chamie, choviam cartas de repúdio e apoio a uns e outros. Vivíamos. A ditadura arreganhava os dentes e nós, corajosos ou não, a enfrentávamos. Curioso: apesar de tudo, a censura prévia só atingia o *Pasquim*, a *Silêncio*, a *Circus*, a *Inéditos* — nunca pegou a *Escrita*. O ministro da Justiça chegou a preocupar-se com uma revista que mimeografávamos em Belo Horizonte, com a espantosa tiragem de apenas dois mil exemplares, que ele e o general-presidente da época mandaram retirar das bancas.

Lembro-me até hoje do agente da Polícia Federal chegando em minha casa, onde funcionava a redação da revista. Minha mulher, de 20 anos, atendeu à porta e o policial perguntou:

— Seu pai está aí?

Era eu quem ele buscava. Na Polícia Federal, diante de um delegado atormentado de problemas burocráticos,

tive de informar que não adiantava eles procurarem por Franz Kafka, o autor estrangeiro daquele conto subversivo publicado na página 16.

— Está morto e enterrado — disse eu, apavorado com a ideia de ser torturado para revelar o endereço de tantos defuntos.

— Quem matou? — perguntou o escrivão, saltando da cadeira. O delegado moveu a cabeça, impaciente.

Foi uma enrascada. Mas no fim das contas tudo ficou bem explicado. A revista deixou de circular e fundamos outra, *Circus*, que durou dois números. Era a mesma com outro título e não deu outra: mais uma visita forçada ao pobre e desesperado delegado, que afrouxou o nó da gravata e praticamente implorou:

— Vocês querem acabar comigo? Pelo amor de Deus, recolham esse lixo imoral e subversivo!

Pobre coitado! Acabou "deportado" para a Paraíba ou o Maranhão, não me lembro bem. Acabamos de certa forma amigos, tantas vezes fomos obrigados a ficar frente a frente. Explicava-nos, pacientemente, esgrimindo o telex superior, que cumpria ordens. E que até gostava de nossos versos, mas ordens, meus amigos, são ordens. E baixava o pau na gente.

Era terrível, sem dúvida. Alguns de nós morreram — não pela literatura, é claro —, outros fugiram, alguns se encharcaram de drogas, outros sumiram no mundo de tal forma que jamais os encontramos. Mas participamos, de certa forma, de uma parte da história deste país. Nós vivemos os anos 70, dos mais violentos de nossa História. Fizemos manifestos, passeatas, enfrentamos os cães da polícia nas ruas, a censura. Simpatizamos, ingenuamente, com os guerrilheiros românticos que só pioraram a situação acreditando ser possível derrubar os militares com a força das armas.

Éramos mais realistas: queríamos derrubar a ditadura fazendo versos... E fizemos. O tempo passou, os militares se foram (até quando?), a censura acabou e alguns jornais censurados também. Que estranho: foi só acabar a censura e o *Pasquim* definhou, o *Movimento* secou, as revistas fecharam. Parece que não estavam preparados para a liberdade.

Agora volta a *Escrita*. Os tempos são outros; uns só querem sofrer, outros só querem dançar. Mas o velho e bom Wladyr Nader está lá, outra vez à frente de seu sonho. Que tenha longa vida! Vamos sonhar outra vez. Quem sabe um dia a gente derruba o Toninho Malvadeza com meia dúzia de versos. Não custa nada tentar.

A grande ilusão

> *Ó homem, até quando tereis*
> *o coração pesado, e amareis o nada,*
> *e buscareis a ilusão?*
>
> SALMOS, 4-3

Hilda Hilst não é apenas uma grande escritora de obra grandiosa e original. Parece ser também desenhista de sensibilidade rara, a julgar por dois desenhos que nos enviou, com os enigmáticos títulos de *A Grande Ilusão* e *As Pequenas Ilusões, Decorrentes da Grande*. Olho os desenhos de Hilda, e lembro imediatamente do versículo 3 do *Salmo* 4 de Davi, esse tesouro da poesia lírica israelense: "Ó homens, até quando tereis o coração pesado, e amareis o nada, e buscareis a ilusão?".

E então, diante de mim, um homem — rosto no espelho, consciência, o ego cujo tamanho não mediram ainda? —, um homem, nada mais que um homem, pensa: "Estarei amando excessivamente o nada? Terei o coração pesado e duro? Será que me engano, que minto para mim mesmo?". Pobre homem: ele não crê em Deus, e por isso nem ao menos pode, como Davi, implorar ao Criador: "Na angústia tu me aliviaste: tem piedade de mim, ouve a minha prece!". O homem pode apenas olhar seu rosto endurecido refletido no espelho e perguntar mais uma vez: "Quem sou eu? A quem sirvo?".

E nada ouvir em resposta. Então o homem afivela mais uma vez o rosto com que circula, solitário, entre seus iguais, e sorri mostrando a falha do dente que arrancou há 15 dias e até hoje não teve tempo de pôr outro no lugar. O homem descobre que já não é tão jovem e pedaços dele ficaram pelo caminho. Seu corpo já não é o mesmo, e no meio do caminho da sua vida ele já carrega algumas marcas.

Que homem será este, que descrevo assim tão vagamente? O personagem dividido de um livro que prometo terminar há anos, sem jamais cumprir a promessa feita a mim mesmo? O fantasma que jamais ganha vida, e perambula de texto em texto, de crônica em crônica, de capítulo em capítulo, indefinido, falso e fugidio? Um personagem que, como seu vago criador, engana a si próprio, fingindo sentir a dor que na verdade não sente? Será que ele se ilude? Será que também anda perdido no centro da grande ilusão?

"Cruel como o abismo é a paixão", diz o *Cântico dos Cânticos*. E então o homem se pergunta — mas será ele mesmo quem se pergunta ou será o outro, o que por ele fala? — então o homem se pergunta se tudo são apenas palavras, palavras que a paixão destila, essa paixão fingida e falsa que nada revela, nada sente, apenas expressa, gratuitamente, um exercício. O cotidiano e rotineiro exercício de enfileirar palavras, uma atrás da outra, substantivos, advérbios, adjetivos — quantos adjetivos! — vírgulas, lágrimas, revolta e dor. Do outro lado, ao longe, um leitor se comove e às vezes chora. Ilusões, ilusões.

O homem diante do espelho morde os lábios e diz baixinho que tem sido pelo menos honesto, que neste país de corruptos e larápios é um dos poucos que não se venderam. O homem não se corrompeu e se orgulha disso, mas de repente sua testa se enruga e ele se indaga: mas será verdadeiro este orgulho? Não será tal orgulho apenas uma pequena ilusão, decorrente da grande? Perguntas. Perguntas.

Toda a sua vida este homem refletido no espelho a passou brigando por ideias, símbolos, ideais — uns grandes, outros nem tanto. Algumas vezes ele acertou, outras não — achar a verdade no cipoal de enganos deste vago e velho mundo é tarefa difícil, embora possível, principalmente se... Se? Se, principalmente se... Por exemplo: se Tancredo Neves não tivesse morrido, hoje ele estaria vivo e teria sido presidente da República. O país seria outro? Poderia ser, ou não — quem sabe fosse até pior (ainda que tal hipótese pareça absurda, tal é o caos dos dias de hoje).

Hipóteses. Se a Terra fosse plana a Lua não seria redonda. Ou não, quem sabe? O problema quando se trata de tais coisas é que ninguém tem certeza de nada. Por exemplo: se o ego de um homem fosse medido pela força de sua vontade, pela energia de sua ambição, pelo tamanho de seus ideais, quantos quilômetros de extensão tal ego teria? Divago, eu sei: egos não se medem a metros. Egos não se medem. Egos se matam. Ou se sufocam. Egos são apenas expressões pálidas, ou não, da grande ilusão. Ou apenas das pequenas ilusões, decorrentes da grande. A humanidade caminharia se não tivéssemos sempre uma grande, uma enorme, uma grandiosa ilusão? E então, diante do espelho, o homem olha seu rosto endurecido, sorri, deixa que a face dura se enterneça, esquece o ódio, o ressentimento e a amargura e apenas diz, ou murmura, sussurra, cicia como o cálido vento da bela e suave tarde primaveril (embora seja verão): eia, avante, sigamos! Sigamos em frente, iludidos ou não. A vida é assim mesmo: parábolas, metáforas, jogos de iludir-se a outrem, biombos, palavras — literatura.

Um dia, quem sabe, alguém entenda tudo — e construa, com o ilusório verbo de todos os dias, a sua própria e verdadeira história. Sobre a grande ilusão, é claro. Ou sobre as pequenas, decorrentes da primeira. Boa sorte para todos.

O sentido da vida

O sentido da vida é nascer, crescer, envelhecer e morrer, deixando sob a terra este antigo corpo constituído da solitária e silenciosa matéria de que foram feitas as estrelas e seus filhos, e os filhos de seus filhos, ou não?

Sim, é este o sentido da vida, ou não.

O sentido da vida é descobrir alegre ou amargamente a consciência das coisas, da alegria e da dor, da tristeza e do tédio, e então alegrar-se ou entristecer-se, corada ou pálida personagem de uma peça absurda, uma tragédia, comédia, ópera bufa, ou não?

Sim, o sentido da vida é este — ou não.

Será o sentido da vida amar e odiar seu irmão, em silêncio ou aos gritos, perdoar, ser perdoado, caminhar com firmeza ou vacilante sobre o abismo, cair e erguer-se, ou não?

Sim, é este o sentido da vida, ou não.

Será porventura o sentido da vida caminhar juntos sobre a mesma velha e generosa e solitária Terra, dividir angústias e dor, enredar-se no cipoal das palavras, dizer *sim*, ser entendido não, dizer *não*, ser entendido sim, ou não?
Sim, o sentido da vida é este. Ou não.
Será o sentido da vida buscar luz nas sombras ou sombras na luz, consumir dias e noites a trilhar o áspero caminho imperfeito, buscar o caminho reto, a verdade, e descobrir então o caminho torto, a estrada estreita e, no fim da estrada, apenas neblina, mistério, horror, escuridão?
Sim, o sentido da vida é bem este, ou não.
Será, meu Deus, o sentido da vida acreditar em Deus ou em alguma coisa superior à capacidade de entender, cair de joelhos e em prantos pedir caridade ou outro vago sentimento qualquer, e nada ouvir em resposta, ou sim, ouvir então uma voz silenciosa, inexistente e fria e, então, chorar, dormir, sonhar, tudo em vão?
Sim, o sentido da vida é bem este — ou não.
Será o sentido da vida crer na dourada utopia, descobrir então a insustentável fragilidade dos seres, o poder, a miséria, o horror da humana e frágil condição?
Sim, é bem este, ou não, o sentido da vida. Ou não?
Estará o sentido da vida em sonhar o sonho impossível, alcançar a estrela inatingível, vencer o inimigo imbatível, tocar a realidade intangível, e encontrar

nada mais que pesadelo, o nada, a queda, a fantasia, miragens, ou não?

Sim, é bem este o sentido da vida, ou não.

Será o sentido da vida entregar-se apaixonadamente às ideias de grande extensão, consumir-se como o fogo e ver apagar-se a chama, a pedra virar pó, a brasa virar carvão? Será, criaturas, o sentido da vida consumir o sangue das veias, esgotar a serenidade, despentear os cabelos, perseguir a ilusão?

Sim, é bem este o sentido da vida, ou não.

Porque se existe sol também existe a lua, e a noite pode ser tão clara às vezes quanto o mais claro dos dias, ou não; mas se há perguntas demais e respostas de menos sempre haverá a busca, a esperança, a viva luz no fim da escuridão.

Porque é isto — buscar — o sentido da vida. Ou não.

Sonhos

"Viver é melhor que sonhar", cantou certa vez, e já faz muitos anos, Belchior, um compositor do qual não podemos afirmar que pertença ao rebanho dos que perseguem apenas o sucesso a qualquer custo. Não acredito nisso. Eu, que sonhei nos anos 60, mantive o sonho aceso nos 70, escrevi a maior parte destas crônicas nos anos 80 e insisto em sonhar agora, neste inseguro século 21, prefiro dizer que sonhar é preciso, e viver sem sonhar é impossível.

O sonho pode ter acabado para quem perdeu a esperança que jamais teve. Não acabou para quem, apesar do ceticismo e da amargura de uma sociedade confusa, insegura e hostil, insiste em acreditar no futuro, ainda que ele esteja cada vez mais envolto em sombras. Ninguém vive sem um sonho. Ninguém é feliz sem um sonho. Um sonho qualquer, grande ou pequeno, mas um sonho — aquilo que nos empurra para adiante, aquilo que nos impele a criar, a sair do marasmo e da rotina, aquilo que nos obriga a ter ambições e planos.

O sonho nos mantém vivos. Acho que viver fora da realidade, nas nuvens, delirando com utopias, pode ser também um exagero, mas abrir mão do sonho, completamente, é a maior das loucuras. E faz mal para a saúde, segundo afirmam os cientistas. Pelo menos é o que garante o psicólogo Richard Lazarus, da Universidade da Califórnia, em Berkeley, nos Estados Unidos. Ele faz parte de uma equipe que pesquisou o significado do sonho e da ilusão na vida das pessoas e chegou à conclusão de que uma certa negação da realidade pode ser saudável. Nem sempre levar uma vida de ilusões é algo anormal e negativo, dizem os psicólogos de Berkeley — desde, é claro, que se observem certos limites. Pois a ilusão exagerada pode ser um balão levando sempre para cima, para longe da realidade.

Acredita-se que a força das ilusões serve para superar os obstáculos mais devastadores na vida real dos indivíduos. As pessoas deprimidas e soturnas são excessivamente realistas em relação a si próprias e deixam-se, perigosamente, vencer pelos obstáculos. Não há esperanças para sustentá-las. Isso é mau — tão mau quanto, claro, o otimismo exagerado, daqueles que veem tudo cor-de-rosa, mesmo quando o mundo está caindo em cima deles.

Também acho que é preciso investir na alegria e ter esperança, até mesmo alguma ilusão, lutar por uma ou outra utopia, ainda que distante, longínqua, inatingível. Não sou suspeito para afirmar isto: quem me conhece sabe que sou cético e não vivo nas nuvens. Contradição? Não. Há uma diferença fundamental entre o cético e o pessimista. O cético é aquele que, crítico diante da vida e dos homens, insiste em lutar para que um dia as coisas sejam melhores. Tem, pois, esperança. O pessimista é o que já entregou os pontos, não acredita em nada e, perigosamente, tende a acreditar que tudo é lícito em benefício da felicidade — a felicidade dele apenas, é claro.

Uma antiga empresa de comunicação, a Saldiva e Associados Propaganda, divulgou uma vez uma pesquisa de comportamento muito interessante. A pesquisa concluiu que os brasileiros sonham com o passado, têm saudades dos anos 50 e 60 e anseiam por deixar o Brasil, que consideram um país acabado e sem saída. Bem, o Brasil de hoje não é nem melhor nem pior que o de 20 ou 30 anos atrás. As pessoas é que mudaram.

Vivemos a era do eu. Os jovens de blusão de couro dos anos 50 envelheceram e se tornaram empresários. Os *hippies* que sobreviveram à droga hoje vendem ações em Wall Street ou brincam com computadores. Martin Luther King, Gandhi e John Lennon estão mortos. Os meios de comunicação de massa e a indústria cultural absorveram as canções *hippies*, a revolta *punk*, os hinos revolucionários de Mercedes Sosa e Joan Baez. Os tempos modernos são um liquidificador de sons, imagens e ideias. Tudo é consumo.

A Coca-Cola, de um lado, e a Pepsi, de outro, e a indústria cervejeira lotam estádios em todo o mundo vendendo *shows* com os novos ídolos do consumo. Mesmo quando o vocalista Bono, do U2, canta a dor dos mineiros da Inglaterra ou a angústia das mães da Plaza de Mayo, na Argentina, a maior parte da multidão que o escuta apenas mexe os quadris, abre a boca, berra e dança.

O mundo moderno é isto: caos e contradição. Se há conforto e bem-estar, as pessoas se sentem felizes e tranquilas. Se há crise, pensam em deixar o país — em vez de lutar para que a situação melhore. Quem pode dança e canta: quem não pode chora o leite derramado. O sonho acabou? Acabou, sim, mas apenas o sonho fácil e falso. Como escreveu Márcio Borges para Milton Nascimento cantar, "os sonhos não envelhecem".

Sim, pois é agora que é preciso mesmo sonhar. O sonho nunca foi tão necessário neste país dominado por corruptos que perderam a capacidade de se comover, de sonhar com algo grandioso e belo: o mundo colorido em que certamente não teremos a felicidade de viver, mas poderemos deixar de herança para nossos filhos ou netos. O passado passou, que seja enterrado.

A hora é agora, e o futuro está logo aí, na nossa frente.

Se vamos sonhar com o passado, sombrios e pessimistas, o sonho acabou mesmo. Mas, se queremos continuar vivos e achamos que viver vale a pena, o sonho está mais vivo do que nunca. Este sonho que vale a pena aponta para a frente, para o futuro. Vamos sonhá-lo, então. Antes que seja tarde. Antes que seja escuro. Antes que seja ontem.

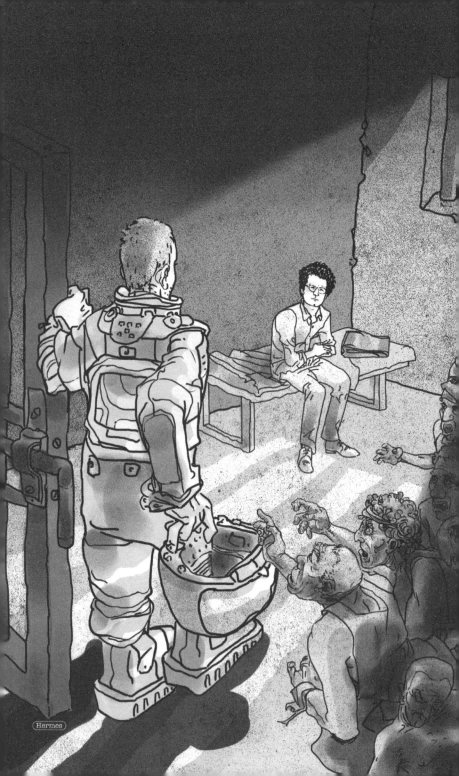

6
DEVANEIOS

Sangue, sangue, sangue

Ontem eu vi um homem cair em plena rua. Era um homem frágil e velho. Parecia pobre, pelas roupas que vestia — mas era uma pobreza digna e limpa. O homem, que estranho, usava chapéu-coco e bengala. Uma figura esquisita e fora de moda — lembrava um pouco Carlitos, o vagabundo. Ele escorregou e bateu com a cabeça na calçada. Deve ter desmaiado por alguns segundos, pois cerrou os olhos e não se ergueu.

Os homens, as mulheres e as crianças passaram por ele desviando os olhos, frios, eretos e indiferentes, seguindo seu rumo e seu destino em direção, talvez, do nada. Também eu segui em frente, incomodado e frio. Estava atrasado para o trabalho. Meus dedos apertavam nervosamente as chaves do carro. Eu acabara de trancá-lo, preocupado com algum ladrão. É meu único carro. Sem ele eu não posso locomover-me nesta cidade imensa.

Lembrei-me então de alguém caindo com o sangue jorrando pelo peito, anos atrás. Foi uma morte horrível. Gelei de espanto e dor. Aquele homem podia estar morrendo, como o outro. Naquele caso tão antigo eu nada pude fazer. Talvez eu pudesse fazer alguma coisa agora. Quem sabe eu pudesse salvá-lo.

Voltei os olhos para o corpo do homem esticado no chão — era um velho — e caminhei lentamente até ele. Estava abrindo os olhos e eu lhe estendi a minha mão. Ele começou a estender a dele e quase nos tocamos, mas então ele arregalou os olhos, assustado, e puxou a mão, como se alguém fosse quebrá-la. Recuou como um bicho assustado, ergueu-se apoiado na bengala e fugiu como se eu fosse um assassino. Nem ao menos levou o chapéu, um chapéu roto e preto. Chamei-o, mas não quis me ouvir. Chutei seu chapéu, impotente, e segui meu caminho.

* * *

Eu vi um homem morrer sangrando pelo peito e pelo rosto, em janeiro de 1981. Eu estava em El Salvador, América Central, fazendo reportagens sobre a guerra civil. Tinha passado uma manhã terrível no hotel Camino Real. Era a primeira vez que eu trabalhava no meio de uma guerra. Procurei a ajuda de jornalistas mais experientes, dois brasileiros famosos que ali estavam, e eles riram de mim. Consideravam um absurdo o jornal ter enviado um garoto inexperiente para trabalhar na guerra, principalmente *naquela* guerra.

Fiquei amargurado. Eles não tinham o direito de me tratar assim. Eu já tinha 29 anos e percorrera duas vezes a Transamazônica, a selva, o Nordeste, o miserável e violento Vale do Jequitinhonha, em Minas. Eu já tinha sido preso uma vez. Um cão policial da PM tinha mordido meus calcanhares. Eu não era nenhum idiota.

Aluguei um carro em San Salvador e passei alguns dias viajando pelo interior do país. Vi soldados queimando corpos de civis metralhados num confronto entre guerrilheiros e o Exército. Eram corpos jovens e firmes. Mas estavam mortos. Havia crianças entre os mortos, e, enquanto os corpos queimavam, seus bracinhos frágeis estendiam-se como espetos em direção ao céu. Eu não podia suportar aquilo. Talvez não devesse chorar, devia apenas relatar o que via para o meu jornal. Mas chorei.

Na manhã em que cheguei de volta a San Salvador o corpo de um homem explodiu a poucos metros de mim. Acho que era um mendigo. Passou um carro e alguém jogou um objeto. O homem era cego. Ele usava chapéu-coco e uma bengala e foi tateando na beira da calçada com ela. Encontrou o objeto, curvou-se, tomou-o numa das mãos e apertou-o contra o peito. Então o objeto explodiu.

Eu vi o homem cair, sem um grito. Aproximei-me horrorizado. O peito dele estava aberto e o sangue jorrava. O rosto era apenas uma massa de ossos e sangue e carvão. As pontas dos braços eram dois espetos ossudos na direção do céu. O homem estava morto. O sangue dele ainda estava quente. As pessoas seguiam o seu caminho, indiferentes, enquanto os soldados corriam para o corpo. Nada havia, porém, a fazer.

* * *

Ontem, quando vi aquele outro homem caindo na rua, lembrei-me então do pobre e anônimo morto salvadorenho. Sim, devia ser um mendigo. Era um homem cego. Já se passaram muitos anos e seu corpo já deve ter-se transformado em cinzas. Eu continuo vivo, porém. Eu continuo vivo com minhas lembranças. Eu continuo vivo com minha perplexidade. Não sei se é bom relembrar isto aqui, num domingo. O domingo é um dia em que todos devem ter direito à paz e ao descanso. Vocês me desculpem se falo então de guerra, em hora tão imprópria. Mas há gente morrendo por todos os lados do mundo, aqui perto e ao longe. Talvez isso pudesse não estar acontecendo. Talvez.

Crianças feridas

Izidro tinha 11 anos e uma metralhadora velha nas mãos quando o conheci, em janeiro de 1981, defendendo do exército a sofrida gente do povoado de San Lorenzo, El Salvador, América Central. O país estava conflagrado por uma guerra civil que confrontava irmãos. Quando estive lá pela segunda vez, dois anos depois, San Lorenzo era apenas um monte de ruínas destroçadas pelos aviões-bombardeiros. Uma cidade fantasma. Não havia mulheres. Não havia homens. Não havia crianças.

Meu filho Alexandre tem dez anos. Ontem, véspera do Dia da Criança, ele queria que eu lhe comprasse mais um brinquedo. Em cima da mesa havia uma revista colorida que anunciava tanques, metralhadoras de plástico, revólveres, jogos de guerra. E, até mesmo, um tal de *Warman*, o guerreiro da paz. Da paz, sim — mas *guerreiro*. Lembrei-me então de Izidro e senti um triste aperto no coração. Aquele menino tão frágil e sua metralhadora. Aquela criança.

Coisas da vida. Esta semana eu assisti a um filme terrível: *Salvador — O Martírio de um Povo*, de Oliver Stone. A história de um jornalista norte-americano naquele país onde a guerra não acabava. Escrevi um artigo que saiu quinta-feira na capa deste Caderno 2. Foi um texto emocionado. Eu estive várias vezes nessa guerra. Dei esta informação no pé do artigo, para que os leitores soubessem por que eu — e não um crítico de cinema — estava escrevendo sobre o filme.

Não sei se Izidro está vivo.

Vocês já viram homens morrendo? Vocês já viram crianças com a barriga aberta por estilhaços de bomba ou granada? Vocês já viram mulheres agarradas com seus filhos, mortas, abraçadas a eles, e também eles, tão pequeninos, mortos, e todos empilhados uns sobre os outros, e soldados jogando gasolina sobre os corpos e, depois, queimando tudo, porque não havia tempo nem disposição para sepultá-los? E o fogo subindo da pilha de corpos, e a fumaça, e o cheiro agridoce de carne humana queimando espalhando-se pelo ar... Vocês já viram pessoas berrando em desespero pelas estradas, feridas, animais assustados sem ter para onde ir, porque qualquer lugar ali seria o inferno?

Eu já.

Não me invejem por isso.

São recordações terríveis. Eu vi essas cenas. Essas imagens, tão dolorosas, tão humilhantes, para quem, como eu, ainda tem esperanças, vagas esperanças, de um dia ver um mundo justo, cheio de pessoas justas. Essas imagens de dor e desespero voltaram a meus olhos dentro do cinema onde assisti, estarrecido, ao amargo filme de Oliver Stone.

Stone, para quem não sabe, combateu no Vietnã durante 14 meses em 1967. Ele ganhou lá uma Estrela de Bronze pela coragem em combate. Não sei também se ele estufa o peito, vaidoso, por ter ganho essa medalha. Deve ter sofrido muito. Não sei se matou alguém, soldado ou civil (às vezes se mata um civil, por acidente, quando se está em guerra).

Eu nunca matei ninguém.

Vocês deviam ver o filme de Stone. Parece uma expiação. Fala sobre as crianças que morreram em El Salvador. Fala também dos jornalistas que estiveram lá, contando para nós como se faz uma guerra e como se morre nela. Alguns desses jornalistas morreram durante os combates ou simplesmente foram assassinados. A maioria, claro, está aí contando a história. Alguns contam a história muito friamente, como se aquelas mortes não lhes dissessem respeito. Outros contam com emoção e tristeza.

Sim, eu me lembro. Izidro não tinha nem 40 quilos. Era um menino magrinho e frágil. Juca Martins, um brasileiro da *Agência F-4*, fez uma fotografia dele. Juca estava comigo lá naquele inferno. Eu voltei para o Brasil primeiro. Juca Martins ficou lá e acabou envolvido em um combate. E trouxe para o Brasil a dolorosa foto de um soldado no momento em que tinha sido baleado. É uma foto em cores. Cheia de sangue. O soldado era muito jovem. Não era uma criança, como Izidro, mas era jovem.

As guerras não são feitas por jovens, mas são os jovens que morrem nelas.

O presidente Ronald Reagan, um ex-ator que o sistema colocou na Presidência dos Estados Unidos, dizia que Cuba e a União Soviética (que um dia se esfacelou e virou vários países) eram culpadas pela tensão na América Central. Os nicaraguenses e os guerrilheiros salvadorenhos diziam que a culpa era do imperialismo norte-americano. Enquanto eles discutiam, as crianças se matavam em El Salvador e na Nicarágua. Irmãos contra irmãos — indefesas vítimas deste confuso planeta dividido em ideologias, tendências, costumes, gostos, opiniões. Uns gostam da amargura. Outros preferem rir de tudo. Uns dizem que amam, mas admitem que são incapazes de perdoar e desejam até mesmo que Deus, se existe, descarregue contra os ímpios a força da sua ira. Vivemos num mundo onde não há lugar para a piedade e o perdão.

Em 1983 fiz uma fotografia absurda na América Central. Mostrava três crianças exibindo armas pesadas

— fuzis e metralhadoras. Essas crianças são — ou eram, quem sabe? — de Jalapa, norte da Nicarágua, fronteira com Honduras. Estive lá no dia 26 de maio de 1983. O menino do meio tinha 16 anos e chamava-se Juan Mairena. No momento em que fiz a fotografia, bombas explodiam três mil metros adiante, na fronteira. Juan Mairena brincava com sua metralhadora e as crianças da casa, esperando sua vez de entrar em combate.

Nunca mais tive notícias deles.

História de um manifesto

Devíamos estar na décima cerveja quando meu companheiro Jeferson Ribeiro de Andrade deu um murro na mesa, jogando tudo heroicamente pelos ares, e trovejou: "Não podemos aceitar isto!". Como éramos corajosos, naquele tempo! Corria o ano de 1976, que já estava no fim — era dezembro — e o governo tinha acabado de censurar o romance *Zero*, de Ignácio de Loyola Brandão, que então admirávamos.

— É preciso fazer um manifesto! — esbravejou Jeferson.

Ele não tinha ainda 30 anos. Eu tinha 25 e meu primeiro livro, *Não passarás o Jordão* (um ano depois publicado pela editora Alfa-Ômega), tinha sido recusado por várias editoras. O tema era a tortura. Um dos personagens era o jornalista Vladimir Herzog, assassinado nos porões do Doi-Codi, em

São Paulo. Outro, uma menina torturada, acusada de ser guerrilheira.

Sim, um manifesto. Mas um manifesto que sacudisse a Nação, que erguesse o povo contra a tirania, que despertasse o homem para a necessidade de ser livre, de se ter acesso a todas as informações. E foi ali, com a esferográfica falhando sobre um guardanapo de papel molhado de cerveja, que nasceram as primeiras palavras do manifesto:

"Nós, escritores, jornalistas, professores, cineastas, músicos, artistas brasileiros... nós, para quem a liberdade de expressão é essencial, não podemos ser continuadamente silenciados. O nosso amordaçamento há de equivaler ao silêncio do próprio Brasil." Nosso texto — que foi no dia seguinte aprimorado pelo crítico literário e economista Fábio Lucas — ainda não era, claro, este. Ele foi, até sua redação final, podado, amenizado, radicalizado, acrescentado de títulos e nomes, subtraído de pontos, vírgulas e exclamações, por dez, 20, 50, quase cem autores, até chegar à mesa do ministro da Justiça, que cuidava da censura.

Até que isto acontecesse, o governo censurou mais um livro — *Feliz Ano Novo*, de Rubem Fonseca —, e isto foi decisivo para o sucesso do movimento. Tão logo as cópias de nosso primeiro texto chegaram às mãos do bravo Zé Rubem, ele as espalhou pelo país inteiro. No Rio, a grande escritora Nélida Piñon e os jornalistas

Cícero Sandroni e José Louzeiro entraram no movimento. Em Porto Alegre, durante uma feira de livros, Fernando Morais, Jorge Escosteguy, Nélida Piñon, Caio Fernando Abreu e Clarice Lispector — ela mesmo, a divina Clarice — fizeram uma reunião para propagar o texto.

Vivemos dias heroicos e nos orgulhamos daquilo. Nós exigíamos o fim da censura. Nós queríamos liberdade para escrever tudo, fosse o que fosse. Nós não queríamos continuar amarrados, tolhidos pela censura dos que então governavam o Brasil e não gostavam da liberdade.

O manifesto nascido num guardanapo de papel chegou a Salvador, onde Jorge Amado, o bravo Jorge, quase põe tudo a perder. Ele avisou a imprensa e os jornais deram a notícia: Jorge Amado, o grande escritor brasileiro indicado para o Prêmio Nobel, lançara um manifesto na Bahia e conclamava toda a Nação a subscrevê-lo. Estava quebrado o sigilo.

Haveríamos de aprender muito com tudo aquilo. Mas o movimento cresceu, apesar de tudo, e no dia 20 de janeiro de 1977 fizemos a reunião final, na casa do escritor mineiro Murilo Rubião, em Belo Horizonte: ele, Jeferson, eu e Rubem Fonseca, que estava acompanhado de uma linda moça. Passei décadas acreditando que era a escritora Ana Miranda. Não era.

Escolhemos a comissão que levaria o manifesto a Brasília. Na véspera da entrega, um dos membros desta comissão — Murilo Rubião mesmo, logo ele!

— desistiu e Jeferson assumiu seu posto, o anônimo e guerreiro Jeferson — não sem antes ouvir de alguém que ele, um "escritor menor", não tinha "nome" para integrar a comissão. (Murilo era diretor da Imprensa Oficial de Minas e não podia aparecer publicamente em manifesto contra o governo. Seria sempre um bravo militante clandestino.) Os outros eram Lygia Fagundes Telles, o historiador Hélio Silva e Nélida Piñon, que se ofereceu à última hora para também viajar a Brasília.

O ministro da Justiça não recebeu ninguém, mandou um chefe de gabinete atender a comissão e dias depois foi à TV, para afirmar que o povo brasileiro — em cujo nome falava — exigia era mais censura, e que o documento tinha sido encaminhado à Polícia Federal, "para investigações". Um caso de polícia.

Arrasados, lembrávamos, em Belo Horizonte, os dias e noites perdidos, a noite em que eu, então repórter do *Jornal do Brasil,* instalei-me no telex da sucursal para datilografar os 1.046 nomes dos signatários, as reuniões, as discussões, as brigas para manter o tom do texto, para não ceder ao medo e à covardia.

Mas logo descobríamos — e isso aconteceu pouco a pouco — que tinha valido, sim. A censura continuou por algum tempo ainda, mas saíram notícias do manifesto nos quatro cantos do mundo, e os jornais falaram dele por muito tempo, de tal forma que ele já entrou para a História.

À última hora, ainda na casa de Murilo Rubião, Rubem Fonseca percebeu que um importantíssimo companheiro nosso cujo nome começa com "Z" (não era o Zuenir Ventura) não tinha assinado o documento, e ao telefonar para ele, naquele momento mesmo, pedindo autorização para incluir seu nome, ouviu que não assinaria nada, que suas posições eram públicas e individuais, e ele as manifestava em seu trabalho no jornal. E ainda se irritou por ter sido interrompido no momento em que estava assistindo pela TV ao discurso de posse de Jimmy Carter na Presidência da República dos Estados Unidos.

E ponto-final.

A face ocultada Lua

Na madrugada de 21 de julho de 1969, uma segunda-feira, eu vivia em Sete Lagoas, Minas Gerais, e estava injustamente preso, na delegacia de polícia local, acusado de atentado ao pudor e à moral pública por ter trocado carícias com a doce e inesquecível Cândida no chafariz da praça principal. Eu tinha 17 anos. E foi ali, atrás das grades, obrigado a contemplar os horrores do arbítrio policial daqueles tempos sombrios, que alguém me foi levar a notícia de que o homem tinha descido na Lua na noite anterior. Era madrugada, fazia frio e eu pude ver, pela janela cheia de grades, aquela Lua distante e gelada suspensa no céu como um grande e valioso diamante.

O homem tinha ido à Lua, então. Que grande avanço! Como era fantástico e sublime o conhecimento humano, pensei comigo mesmo —, mas logo ouvi os gritos de um pobre ladrão sendo espancado no outro cubículo, para que confessasse um possível crime. Horas depois, também ele era jogado em nossa cela, onde pude ver, horrorizado, suas mãos e pés inchados pelos golpes de palmatória, os dentes quebrados e o rosto cheio de hematomas. Um cabo da polícia militar rasgara-me a camisa, ao conduzir-me à cela, e eu sentia medo e frio. Mas o homem, santo Deus, tinha chegado à Lua!

Hoje, tantos anos depois, eu me lembro com saudade e amargura daqueles tempos. Os meios de comunicação estavam sob censura, a economia crescia e apesar de ter visto meu pai ter sido preso em 1964, quando morávamos em Brasília, eu era naqueles dias um adolescente perdido na desinformação. Poucos anos depois, já na Universidade, pude entender melhor o que estava acontecendo no Brasil e no mundo com as ideologias em confronto, autoritarismo, guerras, massacres. Seriam os homens responsáveis por tanto horror os mesmos que se tinham elevado aos céus para tocar a Lua?

Todas as coisas, descobri depois, têm seu lado oculto, aquilo que só podemos ver se nos esforçarmos muito, se conseguirmos impedir que nos enganem. De minha rápida, fugaz e amarga experiência de uma noite numa prisão pude retirar lições não tão amargas assim, e das lembranças acabei escrevendo uma história que virou livro e filme, *Verdes Anos,* histórias sobre a juventude dos anos 70. Sobre a descida do homem na Lua até hoje não tirei nenhuma conclusão definitiva, mas a ciência evoluiu espantosamente e já estamos pesquisando o solo de Marte em busca de vida.

Desde o início dos tempos o homem eleva os olhos para o céu, extasia-se diante desta grande abóbada manchada de estrelas e se indaga a respeito dos muitos e insondáveis mistérios do universo. De onde viemos? Para onde vamos? O que significa tudo isso? Hoje o céu está cheio de satélites artificiais, sondas, estações orbitais. Tantas perguntas...

O satélite é uma extensão natural dos foguetes, que são extensões naturais de aviões e balões, que por sua vez talvez sejam extensões naturais da subida do homem em montanhas e árvores para chegar mais alto — e assim ter uma visão melhor do seu grande e infinito universo. Nós, tão primitivos, tão insignificantes diante deste universo enorme e imensurável, este assombroso enigma, o que fazemos desde sempre é apenas perguntar.

O que levou o homem à Lua? Um reles conflito, talvez, entre duas superpotências, uma resposta norte-americana ao progresso soviético na exploração do espaço, mas, apesar de tudo, valeu: os 25 bilhões de dólares gastos não foram em vão, pois a tecnologia avançou na sequência do grande voo dos astronautas Collins, Aldrin e Armstrong, e se há uma coisa que devemos lamentar é apenas que os militares sempre tirem desses avanços suas vantagens, desenvolvendo novas armas. Como num fantástico fliperama, é possível que dois malucos disputem uma partida em que os bonecos a ser alvejados serão ninguém menos que nós, nossos pais, nossos filhos, nossos irmãos.

Tudo isso para quê? Nosso maior triunfo, em séculos de existência do homem sobre a Terra, nem ao menos é ter chegado à Lua, ter transposto as fronteiras do universo, estar pesquisando os quasars, os buracos negros, os pulsars... Nosso maior triunfo e nossa maior glória é também nossa maior desdita: a bomba. A grande bomba atômica desenvolvida pela ciência, pelo conhecimento humano, aquele terrível artefato que nos pode destruir.

No momento em que o homem descia na Lua, um jovem brasileiro de 17 anos passava injustamente uma noite na prisão, enquanto a seu lado homens oprimiam outros, espancando-os barbaramente. Em outras prisões daquele Brasil de 1969, outros homens sofriam e se enfrentavam como animais furiosos, cada um defendendo a sua irrefutável verdade, e alguns deles nem isso, apenas exercendo, burocraticamente, e com algum sadismo, a sua sombria função de verdugos.

Nos miseráveis países da África crianças morriam de fome, e no Vietnã outras crianças inocentes eram queimadas impiedosamente com o fogo do napalm. Na Austrália e na selva amazônica, homens vivendo na Idade da Pedra nem ao menos viriam a saber do grandioso feito.

No Nordeste brasileiro, um cearense pobre e analfabeto disse a um jornal que não era bobo para acreditar em coisa tão estapafúrdia. O homem na Lua?

Mas o homem, que coisa fantástica, o homem tinha descido mesmo na Lua, e o mundo civilizado, cheio de espanto, tomou conhecimento da incrível boa-nova numa transmissão direta, ao vivo, pela TV. Hoje, no entanto, tudo continua igual. A Lua, esquecida, também continua lá, fria, inabitada, com sua face visível voltada para nós e a outra, oculta, envolta para sempre nas trevas. Pois, assim como as moedas, o homem e a verdade, ela tem dois rostos, e eu me pergunto: qual dos dois é mais belo, qual dos dois é mais terrível? E não tenho coragem de responder.

Somos todos assassinos

Carlos Drummond de Andrade morreu. Era o que restava de poesia. Sobraram vates patrióticos, canastrões dramáticos, revolucionários de botequim e robôs efêmeros cantando ninfetas narcóticas, calcinhas comestíveis, polícia. Sinal dos tempos?

* * *

Mataram Pixote. Pobre Fernando Ramos da Silva. Três tiros no braço direito, cinco no tórax. Quis ser o que não podia: ator. Foi condenado a ser o que tinha de ser: herdeiro do nada, pária. Marginal. Outros pixotes morrem silenciosamente todos os dias neste país sem heróis. Mataram Pixote. Amanhã já não falarão mais dele. Mas os pixotes continuarão morrendo todos os dias — de bala, de fome ou de desespero.

* * *

Telefonam e dizem: alguém bastante jovem foi preso por engano, passou uma noite na cadeia e viu presos comuns, culpados ou não, sendo espancados até sangrar. Já não há presos políticos, ninguém se escandaliza com isso. Onde estão os intelectuais, os padres, os políticos, a Anistia? A tortura não acabou. Serão esses pobres seres menos humanos por não terem ideias? Serão esses pobres seres desprovidos de direitos?

* * *

Devemos viver, e vivemos. "Mas era apenas isso,/ era isso, mais nada?/ Era só a batida/ numa porta fechada?" Sim, é apenas isso. Ou não. Mas vivemos. "As guerras, as fomes, as discussões dentro dos edifícios/ provam apenas que a vida prossegue/ e nem todos se libertaram ainda." Carlos Drummond de Andrade. Ele.

* * *

A estupidez humana chega a ser obscena. Um poeta concretista não resistiu à oportunidade e escreveu que Drummond foi um intelectual tímido, covarde, oportunista. Não foi um santo, é verdade, mas por que o gelado robô concreto não escreveu isso enquanto o acusado vivia? É verdade, houve instantes em que Carlos, indeciso, se omitiu politicamente. Somos assim: frágil e efêmera carne assustada. Não consta que o tal poeta tenha sido, alguma vez, herói. Tenhamos pena, portanto, de sua inoportuna estupidez.

* * *

Moisés era servo de um deus, mas o deus dele era ciumento, vingativo e cruel. Mais de três mil anos depois de tudo, um historiador diz que Moisés foi assassinado. Que diferença faz? Era o pastor de um povo guerreiro, que passou a fio de espada milhares de infiéis. Sempre em nome de Deus. Assim caminha a humanidade: a história do homem tem sido a história de suas guerras e sonhos de conquista. E morte. Sonho. Ilusão.

* * *

Um leitor escreve e é sempre a mesma coisa: você fala demais da morte. De Deus, em que não acredita. Do amargo ato de viver. Você precisa acreditar. Bem que gostaria — e é desesperador descobrir essa terrível vontade. Não seria uma rima, talvez fosse uma solução. Mas não adianta: a fé é só um fio entre o ser e o nada.

* * *

Corrupção, negociatas, hipocrisia, mentiras que parecem verdades. Durante quantos séculos Pixote teria de continuar assaltando para recolher o que um corrupto furta em um só dia?

Carlos morreu: não choremos, tinha 85 anos, viveu. Fernando Ramos da Silva tinha 19. Quem o matou a tiros, encurralando-o como um cão sob uma cama, poderia talvez tê-lo aprisionado vivo. Mas matar é mais fácil. Mais cômodo. Mais econômico.

* * *

E então silenciamos. Por quê?

* * *

Somos todos assassinos.

Balada triste

E então ele olha a gotinha cristalina da chuva escorrendo pela folha verde, e uma grande saudade invade o seu triste e solitário coração. O cheiro de terra molhada, a chuva na vidraça, o vidrinho com a água açucarada para atrair o beija-flor movendo-se como um pêndulo, empurrado pelo vento: isso é belo, ele pensa, mas como é triste!

Mais da metade da vida já se foi, e então ele começa a ter saudades da infância, a inocência dos olhinhos arregalados perguntando pelo sentido das coisas, os brinquedinhos de madeira, o cheiro de jasmim nas roupas, o pai ausente, a mãe gritando com os irmãos. Tão longe.

O céu cinzento anuncia tempestade, relâmpagos, trovões. Então ele anda pela casa, calado, curvado, o coração apertado de angústia e lembranças. A calça curta, as pernas finas, a adolescência chegando, o medo do sexo e da vida, o primeiro beijo. Espinhas no rosto. Timidez.

Que estranha é a vida! Que grande e estranho é o mundo, pensa, olhando no espelho os fios brancos na barba, as rugas ao redor dos olhos, o vinco amargo e seco ao redor dos lábios. Tenta rir, sai uma careta feia e dolorida. Carne. Carne.

E então ele desiste de olhar a chuva lá fora, a água nas folhas, o céu cinzento e anda pela casa buscando tudo e nada, pedaços de coisas, frangalhos, quebra-cabeças. Mexe nas gavetas, nos papéis, nas fotografias. A mãe sorri em uma delas, jovem e feliz. O rosto severo do avô morto. O irmão briguento. O tio alcoólatra morto aos 33 anos, de cirrose. O parente distante que enlouqueceu e deu um tiro no ouvido. O primo que fugiu para ser padre. Vida. Vida.

Tem alergia de papéis velhos e espirra. Mas segue em frente e vê: esboços de histórias, contos, romances e poemas que não escreveu e jamais escreverá. Bilhetes, cartas que não respondeu, versos de amor para alguém e para ninguém. Um soneto apaixonado escrito aos 17 anos em um papel amarelo e manchado; lágrimas. E então ele se lembra, com amargura, que já não consegue chorar, nem nada. Que pena.

Abre e fecha as gavetas, cheio de ansiedade e pressa. Rostos que já não reconhece desfilam entre seus dedos nervosos. Mas há aqueles que jamais esquecerá: Teco, o amigo fiel que se perdeu pelo mundo; Cândida, um amor fugaz; Regina, a primeira e desvairada paixão; Juan, que não se chamava Juan e morreu na guerra; Caio, o escritor sensível e bom, mas tão trágico, tão triste, tão frágil...

Caio fazia perguntas e dava conselhos: "Viver para quê?". Ou: "Meu irmão, a gente tem de descobrir maneiras de ficar forte". Ou: "Não se preocupe demais. Relaxe. Navegue". E então: "Foi bom *demais* te conhecer. Me deu uma fé, uma energia. Sei lá. Cuide bem de você". E a data: 19 de maio de 1977. Anos depois, nada restou além da fria distância entre os dois: olhares furtivos; fugas; silêncios.

Lê, comovido, e pensa: o tempo separa as pessoas, e as ideias também. O que mais separa as pessoas além do orgulho, a sensibilidade exagerada, a incompreensão? Nada vale uma amizade. E então lê, no papel amarelo onde o amigo datilografava as cartas (e a máquina dele tinha até nome, *Virgínia Woolf*: "Releio *Alice no País das Maravilhas* e descubro que sou um menino que caiu na toca do coelho e ainda não conseguiu entender nada. Ou conseguiu entender tudo (jamais saberei)".

Jamais, pensa então. Jamais. E então ele anda pela casa, olha os filhos brincando — inocentes, felizes, quanta beleza! — e se pergunta se não está sofrendo por estar fazendo sofrer. Quem sabe? (Jamais saberemos.)

Perguntas doem. Respostas também. Então ele desiste de fazer perguntas e buscar respostas, vai para a varanda, senta-se na cadeira de balanço, fecha os olhos e ouve apenas o ruído das últimas gotinhas de chuva deslizando pelas telhas e pelas folhas das árvores. Sonha com elfos, duendes, camaleões, fadas, uma princesa alta e branca de cabelos pretos como azeviche — um rosto igualzinho ao da Melanie Grifith, totalmente selvagem. Acorda sorrindo sem saber por quê.

A chuva parou. Um sol frágil e frio despeja luz sobre as gotículas de água. Então ele se ergue, olha o relógio, descobre que está atrasado para o trabalho e corre. Beija as crianças, despede-se apressadamente, tropeça nas pedras do jardim, entra no carro e sai. Até chegar ao trabalho cantarola inconscientemente a letra de uma velha canção chamada "Balada Triste". É uma canção cuja letra fala de outra canção que faz o cantor lembrar-se de alguém — alguém que existe dentro do seu (dele) coração. O dele, porém, é um coração vazio e solitário e talvez nem exista. Talvez nem o homem exista. Talvez suas próprias lembranças não existam. Talvez existam apenas as palavras, estas que escrevo. Que pena.

Caçadores do cometa perdido

Meu compadre José Maria Mayrink, um homem temente a Deus, tem um vizinho cujo cunhado diz ter um primo que jura ter visto o cometa Halley — não agora, mas em 1910. Naquele tempo, os cometas eram mais confiáveis, embora causassem estragos terríveis, semeando a discórdia pelos quatro cantos do mundo.

Quando a cauda do bicho roçou a Terra, em maio de 1910, muita gente morreu de susto. Dizem os jornais da época que um homem se suicidou em Lisboa atirando-se num poço. Em Madri, uns mouros beijaram o solo e recitaram ensandecidos todo o Alcorão. Em San José da Califórnia, um grupo de desocupados espantou-se com as fagulhas de uma locomotiva, imaginando ser a cauda do monstro passando sobre suas cabeças.

Terríveis e confusos tempos. Não havia televisão, é claro, mas o que seria uma dádiva, nos dias de hoje, naqueles tempos acabou sendo uma praga: sem a TV, não havia como informar o povo, e milhões de pessoas tremeram de pavor aguardando o fim dos tempos. O cometa provocou suicídios e greves, convulsionou a Bolsa de Nova York e precipitou uma revolução de camponeses na China. Os capitalistas tremeram.

Deve ter sido mesmo uma catástrofe. Um proprietário de terras cortou a própria garganta, na Hungria. Um fazendeiro bebeu veneno, no Alabama. O anônimo passageiro de um barco lançou-se ao mar entre a Jamaica e Cuba (e Fidel ainda nem tinha nascido). Enquanto alguns coitados enlouqueciam, um bando de trêfegos aproveitadores decidiu saciar-se nos mais desvairados prazeres. Consta que apenas um deles matou-se, mas anos depois, e de desgosto, porque o cometa demoraria 76 anos para voltar e o bandido não teria, portanto, nenhum pretexto razoável para entregar-se à devassidão. Coisa de cristão reprimido.

Nem tudo, porém, foi tragédia. O poeta Carlos Drummond de Andrade, um homem frio, era então um menino e preparou-se para morrer, segundo relembrou, "com terror e curiosidade". Mas a morte não veio e o futuro poeta teve uma visão sublime: o cometa em toda a sua glória, arrastando pelos céus de Itabira uma perolada cauda de gás e gotículas de gelo.

Sábios, confusos e terríveis dias. Ninguém sabia de nada, mas afinal o cometa passou pela Terra, matando, assustando e maravilhando milhares de pessoas. Assim é a vida na face deste planeta confuso. Agora, quando o cometa não passa de um ridículo chumaço de algodão visto de binóculo ou luneta, não se pode mais acreditar em nada. Enquanto o minúsculo objeto espacial perde a cauda, por arte de um destino que lhe come o corpo no correr dos séculos, os astrônomos que prometeram um *show* celeste perdem a cabeça.

Mas para alguns a vida continua uma festa. Ontem à noite subiu ao céu de São Paulo um avião cheio de artistas e milionários. Tudo bem se o cometa surgisse pela janelinha do Boeing. Enquanto se espera, champanha e festa — o cometa nesse caso é só um pretexto para fugir do tédio.

O cometa foi mesmo um fiasco e agora, já que não podemos mais vê-lo, é tocar o balouçante barco da vida. Quanto mais balouçante melhor, é claro. E como nos dias de hoje nenhum papa excomunga cometas — o Halley chegou a ser excomungado em 1456 — o negócio é gozar a vida sem culpa e remorsos. Sugiro que o façamos ouvindo Bill Haley e seus Cometas. O velho Bill já morreu e não brilha mais, mas pelo menos sua voz ficou entre nós. E ele é, neste momento, o único cometa no qual se pode ter alguma fé. Boa música para todos.

Como nasce um escritor

Em 1970 eu vivia em Sete Lagoas, Minas Gerais, e era apenas um jovem desorientado, gago e tímido, mas bem rebelde, que havia desistido de ser médico, como meu pai queria, para ser escritor. Usava cabelos longos, roupas coloridas, sapatos plataforma, anéis e colares.

Eu havia escrito uns 300 poemas, todos — eu saberia anos depois — bem ruins.

Foi então que vi num jornal uma notícia sobre o famoso (isso eu também só saberia depois) Concurso Nacional de Contos do Paraná, em sua quarta edição. As anteriores, desde 1968, haviam premiado escritores como Rubem Fonseca, Lygia Fagundes Telles, Dalton Trevisan, Ignácio de Loyola Brandão. Havia modalidades para estudantes (mas eu estava fora da escola) e para estreantes (era o meu caso).

Eu tinha comprado uma velha máquina de escrever Olympia, fabricada na Alemanha antes da Segunda Guerra, toda ornada de vidro nas laterais. Uma raridade que guardo ainda hoje, como um troféu. Nessa velha máquina eu datilografei meus primeiros três contos, "A escada", "A cisterna" e "O filho".

No ano seguinte, à espera do vestibular de Jornalismo para a Universidade Federal de Minas Gerais — UFMG, eu dormia na casa de meus pais, na Praça Bom Jesus, 82, na cidadezinha de Matozinhos, quando fomos acordados pelo carteiro. Ele trazia um jornal no qual se dizia que Roberto Drummond ganhara o prêmio principal, com o conto "A morte de D.J. em Paris", e um menino de 19 anos era a revelação do ano, com o conto "O Filho".

Para tristeza de meu pai, que me queria médico, naquele dia eu virei escritor.

Minha mãe fez para um mim uma calça boca de sino bem colorida, uma camisa com rendas, lustrei meu sapato plataforma de duas cores, ajustei meus anéis e colares, peguei três ônibus — um para Belo Horizonte, outro para São Paulo, outro para Curitiba — e viajei dois dias direto para receber o prêmio. Meu tio Nicodemos, médico, me emprestou uma mala e 200 cruzeiros.

Passei todo aquele longo tempo nos ônibus lendo o romance *Germinal*, do francês Émile Zola, e me emocionando com a tragédia dos mineiros de carvão mal remunerados, com intermináveis jornadas de trabalho, exploração de trabalho infantil, doença e fome. Sonhava um dia ser um grande escritor como ele. Eu trataria de temas sociais, seria admirado pelos leitores e me tornaria um ícone da literatura mundial. Infelizmente até hoje isso não aconteceu.

Espantados com minha aparência de cantor da Jovem Guarda, fui aplaudido com estranheza pelos homens e mulheres na plateia do Teatro Guaíra. Ali o governador Haroldo Leon Peres me entregou o troféu e um polpudo cheque de cinco mil cruzeiros, a moeda daqueles tempos. Logo depois ele foi cassado por corrupção.

Passei dois dias maravilhosos conhecendo escritores de várias partes do país, mas estranhando aquele mundo de intrigas e vaidades. Um membro do júri do concurso quis me levar para o quarto dele, no então luxuoso Hotel Iguaçu. Fui salvo pela bondosa escritora Bárbara de Araújo, mineira como eu.

— Fica comigo, menino — me disse ela. — Você ainda é puro e ingênuo, isso vai durar pouco.

Voltei de ônibus, ao lado do escritor Octávio Mello Alvarenga, autor dos premiados romances *Judeu Nuquim* e *Sexta-feira, dezesseis*. Ele tinha 45 anos e já era famoso naquele tempo, mas me deu grande atenção e ficou espantado com minha idade.

— Um menino, e já ganhando concursos — disse ele, enquanto autografava um livro mim. Ele também tinha sido premiado em vários concursos.

Não disse a ele que era autor de apenas três contos. Era advogado especializado em Direito Agrário e apenas sete anos depois, já jornalista, eu o entrevistei para um grande jornal. Ficou meu amigo até morrer, em 2010, aos 84 anos e com 16 livros publicados.

Cheguei a Minas muito feliz com tudo aquilo, e em minha casa havia várias cartas de romancistas, poetas, músicos e pacotes de livros. Meu endereço tinha saído em vários jornais e foi aí que aprendi uma coisa: artistas buscam outros artistas, em busca de apoio, amizade, trocas, encontros para o preenchimento de um buraco que nunca é preenchido, o buraco da solidão.

Meu pai, aventureiro falido, me pediu quatro mil cruzeiros emprestados para pagar na semana seguinte. Nunca pagou — mas era meu pai. Paguei meu tio os 200, gastei 100 com bobagens, sobraram-me 700. Apliquei 500 na Bolsa de Valores, mas naquele ano fatídico, 1971, a Bolsa quebrou e perdi tudo.

Minha "riqueza" tinha durado uma semana, mas nunca esqueci minhas aventuras em Curitiba, onde um mundo novo se abriu para mim.

Segue aí o conto premiado, num estilo conservador que logo abandonei, para tratar de outros temas, cheios de metáforas para fugir da censura dos anos 70 e ao mesmo tempo também de indignação contra o autoritarismo que tornava nossos dias cinzentos. Ou apenas líricos, com lembranças parecidas com estas contidas em minhas crônicas.

O filho

Tudo começou pela manhã. Valquíria, à mesa, olhou-o com estranheza, enquanto mordia o pão. Perguntou se queria dizer alguma coisa, ela fez mistério. Diria mais tarde, não tinha certeza ainda. Ficou curioso, insistiu. Valquíria riu uma risadinha fina, passou-lhe as mãos pelos cabelos e consertou-lhe o nó da gravata. Depois um beijo leve, rápido, e ele saiu. Valquíria tinha disso: sempre fazia mistério das coisas, desde as pequenas até as grandes. No princípio, irritava. Depois, não: até se tornara divertido, o mistério que Valquíria fazia.

Quando voltou para almoçar, ao meio-dia, já se esquecera da conversa pela manhã. Tivera um dia atarefado, o olhar estranho de Valquíria e seus sorrisos misteriosos tinham-se diluído no tempo. Mas ela o recebera à porta, como de costume, e fez com que se lembrasse, sorrindo, do assunto que ficara pendente. Ele beijou os lábios entreabertos que se ofereciam e a conduziu até a mesa. Perguntou então se ela diria logo o que queria. Sorriu, Valquíria também.

Ela não quis dizer logo, mas via-se que desejava, as palavras, na ponta da língua, esperavam o momento propício para serem expelidas. O momento veio quando eles estavam ao meio do almoço. Ele cortando a carne em silêncio, os olhos fixos no prato, o pensamento longe, pois Valquíria de repente também mergulhara no silêncio. Valquíria era assim: nunca se sabia quando ia, realmente, falar ou fazer alguma coisa. Era imprevisível em tudo.

— Vamos ter um filho.

Foi assim. Apenas as quatro palavras, os verbos, o artigo, o substantivo, tudo dito de supetão, cortando secamente o silêncio. Ele pensou não ter ouvido bem, ficou mudo e não tirou os olhos do prato, continuou cortando a carne.

— Vamos ter um filho.

A carne desapareceu, a faca, o garfo, o prato também. Era tudo um vazio. O substantivo era aquele mesmo: filho. Concreto, simples, comum e bem ouvido. Filho. A mesa começou a girar, ele então levantou os olhos e os fincou nos olhos de Valquíria. Ela o olhava com calma, mansa, a boca entreaberta e a face feliz.

— Vamos ter um filho.

As mãos de Valquíria, sobre a mesa, seguravam o guardanapo branco com bordados numa das pontas. Os olhos claros recebendo os seus, ele então os baixou, confuso e sem saber o que fazer. De repente, o sangue subiu-lhe às faces, ele compreendera bem.

— Fui nesta manhã ao médico. Ele confirmou o que eu já suspeitava. Não é maravilhoso?

Ele compreendera bem, não havia mais dúvida. Não se tratava de adotar um filho, mas de extraí-lo das entranhas de Valquíria. Compreendera bem. O filho estava lá, dormia no ventre de Valquíria.

— Não é maravilhoso?

O sangue subindo às faces. Não aguentou mais. Veio uma ira, uma raiva, um ódio. Levantou-se, a faca caiu e ele ouviu o barulho estridente do bater no chão. Quis gritar, xingar, quebrar qualquer coisa, bater em Valquíria.

— Não é maravilhoso?

Não disse nada. Valquíria olhava para ele, os olhos interrogativos, a boca aberta no espanto. Saiu correndo, Valquíria atrás a fazer perguntas. Não o alcançou. Valquíria ficou na porta, espantada, mas ele não olhou para trás.

Já era tardinha, e ele andava pela rua, sem rumo certo e perdido dentro dele mesmo. Não voltara para trabalhar, mas não queria pensar nisso, o que importava era a sua vida, Valquíria e aquele filho. Ah, Valquíria... Sempre imprevisível em tudo...

Lembrava-se de quando a conhecera, os dois estudavam no mesmo colégio e saíam juntos. Depois o namoro. Valquíria nunca o cansava, como as outras. Sempre aparecia com uma surpresa, era interessante e o divertia. Aquele ar de mistério, as sobrancelhas arqueadas numa interrogação, os lábios entreabertos, os olhos grandes, atrativos que o chamavam e o prendiam. Enredou-se na teia. O tempo passou, quando deu por si já eram noivos. Valquíria sempre com ele, sempre fiel, sempre aquela ternura que a cada dia se transformava, crescia. Todo dia era um dia novo e cheio de promessas, quando havia Valquíria. Uma vez se separaram, lembrava. Os dias mortos, as horas mortas, os minutos mortos, a vida morta de não se ter Valquíria. Sem Valquíria tudo perdia o sentido. Assustou-se com a descoberta, a solidão apertada no peito, no quarto escuro. Pensou no que seria se a perdesse. Foi atrás dela, não deixou que o deixasse nunca mais. O casamento, a solução. Ficariam juntos para sempre.

A vida com Valquíria, maravilha e sonho. Vivia rindo, feliz como nunca pudera ser. Valquíria era extraordinária, fazia da vida um sonhar constante. Era como se faltasse a ele alguma coisa, e Valquíria substituísse essa coisa de tal maneira que sem ela as coisas todas se transformariam, ele veria tudo de outra maneira. Valquíria era essencial, sabia disso.

A vida com Valquíria, maravilha e sonho. E como fossem felizes começou a pensar com mais seriedade naquela vida. Teve a ideia dos filhos, descobriu a felicidade que seria se, além de Valquíria, houvesse as crianças. Seu nome seria perpetuado, deixariam no mundo a sua obra. Seria sublime, obra-prima realizada em conjunto. Qualquer coisa que fizessem não teria a grandeza daquilo. Resultado do esforço e do amor dos dois, os filhos seriam lindos e perfeitos: como Valquíria.

    Depois desta descoberta, não deixou mais de pensar no assunto. Resolveu: teriam os filhos. Valquíria estava de acordo, ficou radiante, a felicidade aumentou. Dia após dia eram os planos que enchiam as conversas, toda noite o sono vinha surpreendê-los quando ainda falavam sobre as crianças. Preparavam a chegada daqueles que dariam motivação para a vida. Tinham de ter cuidado, planejar tudo. Nada poderia atrapalhar os planos tão cuidadosamente elaborados. Os filhos teriam de ser perfeitos, frutos de um amor suavemente perfeito: como Valquíria.

    Estava ainda andando pela rua, anoitecia. Não sabia se voltava para casa e para Valquíria. Estava louco de tristeza e ódio, raiva e abatimento misturados, e tudo a ponto de explodir. A vida já começava a não ter sentido, a ser uma coisa vazia. Ah, Valquíria! Os filhos seriam a concretização do trabalho dos dois, mas seriam considerados não essenciais, dadas as circunstâncias. Essencial mesmo, só Valquíria, você, Valquíria... Sem eles, a felicidade seria menor, é verdade, mas seria ainda a felicidade, seria ainda a vida. Só não haveria sorrisos, se não existisse sequer Valquíria e seus risos carregados de mistério. A vida só não seria vida, se não houvesse você, Valquíria, você...

E agora, a vida já era antecipação da morte. Valquíria estava presente, era como se não estivesse. A Valquíria de antes estava sumindo no tempo, mas deixando as suas marcas. A vida já não era a mesma, desde a manhã. Ah, Valquíria, como podem as coisas mudar assim, num dia apenas? Ah, Valquíria... Fosse tudo um sonho, um pesadelo, uma mentira ou um engano. Ah, Valquíria, Valquíria, Valquíria...

Anoitecia. Andava sem rumo, sem ver ninguém nas ruas, embaraçado na teia das ideias. Resolveu ir ao médico que consultara antes. Uma ponta de esperança nasceu e cresceu, viu seu corpo correr em busca de uma salvação para a vida.

Da última vez em que lá estivera saíra frustrado em todos os seus desejos. Escondera tudo de Valquíria, ele que nunca lhe escondia nada. Tivera medo (ou talvez vergonha, nunca soube) de dizer-lhe a verdade. E fora esperando, então, que a coragem viesse, aí contaria tudo. Valquíria compreenderia, tudo como antes. A coragem não vinha, o tempo ia passando. Valquíria acabaria descobrindo tudo, seria pior. Tinha de contar, sabia que um dia ela saberia tudo mesmo, não conseguiria esconder aquilo por muito tempo. Ela compreenderia, tinha certeza disso, precisava compreender. Mas não se animava a confessar, a palavra que principiaria a revelação não nascia em sua boca. O tempo ia passando, ele guardava tudo dentro do peito.

O doutor abriu a porta, estava jantando. Como era urgente, e seus olhos estivessem fixos nele, como a suplicar algo, o médico consentiu em atendê-lo àquela hora. Deixou a mesa e conduziu-o ao consultório. Ia caminhando, passos trêmulos, desejando com desespero que o doutor contradissesse as palavras da última consulta. Estava em jogo uma vida inteira com Valquíria, e ele necessitava das palavras do médico confessando o erro.

Tudo inútil. Inútil, inteiramente inútil. As palavras do médico, as mesmas anteriores. Não havia uma única esperança. Nada no mundo salvaria a sua felicidade. Tudo por terra, os planos todos para o futuro, sua vida com Valquíria. Nada no mundo os salvaria agora. Ah, Valquíria, Valquíria, Valquíria... Nunca pudera imaginar que pudesse fazer com ele uma coisa daquelas. Mas Valquíria tinha disso, sempre imprevisível em todos os seus atos. Em todos, ficara provado. Imprevisível em tudo, Valquíria.

A repetição do diagnóstico matou-o. Implorou, chegou a chorar, pediu suplicando ao médico que dissesse estar enganado, fosse tudo aquilo um engano. Mas o médico, franco e categórico, um ar penalizado nos olhos: "Não, é impossível, e não vejo por que enganá-lo, dar-lhe falsas esperanças. Convém que se encare a realidade, e sempre há o recurso de se adotar um ou mais filhos. E não posso enganá-lo mesmo: o senhor não poderá nem hoje e nem nunca ter um filho".

Ah, Valquíria, Valquíria, Valquíria...

Felicidade

Um homem cansado abre os olhos às seis horas da manhã, ergue-se do leito como se aquele fosse o último dia de sua vida, caminha às tontas pelo quarto, põe os pensamentos em ordem e sente o amargo na boca. Caminha então para o banheiro, olha o rosto exausto no espelho, as olheiras, a amargura nos olhos sonolentos e diz baixinho: "Bendita é a vida".

* * *

Há sol lá fora. Passarinhos cantam. O barulho deles entra pela janela. O homem sorri quando vê uma formiguinha escura, frágil e leve tentando cruzar um pequeno, minúsculo, quase microscópico fio de água entre o sabonete e a escova de dentes. A mão do homem avança contra a formiga, e ela corre. A mão do homem imobiliza-se, e a formiga foge. Deus deve ser isso, pensa o homem, quase feliz — senhor do tempo, da vida e da morte.

* * *

A menina acordou e anda sozinha pela casa. O homem olha a menina nos olhos, e ela sorri e corre para fora. O homem corre atrás dela, e ela brinca de esconde-esconde. Atrás da grande árvore no jardim, a menina de pijaminha é um animalzinho minúsculo e frágil rindo sem saber por quê. O homem para e olha: o sol arranca raios brilhantes dos cabelos negros da menina. Deve ser isso a beleza, pensa o homem quase chorando.

* * *

Um gato amarelo sem a cauda passa como um raio pelo jardim. Quem comeu o rabo do gato?, pergunta o homem. Um bicho, responde a menina.

* * *

Dentro da casa em silêncio todos os outros dormem. A água ferve na chaleira, e o homem queima a ponta dos dedos quando começa a fazer café. A menina ri quando ele grita e ele ri também. O homem se curva e beija a menina na bochecha. Papai, diz ela. Será isso a felicidade?

* * *

O pão aquecido no forno estala entre os dedos, e o homem leva um pequeno pedaço à boca. Pão dá azia, pensa o homem — mas ele insiste sempre em comer pão pelas manhãs. A menina abre a geladeira na ponta dos pés e o homem vê então que ela está descalça. Os pezinhos tão pequenos. Os pezinhos tão frágeis. E brancos.

* * *

Às sete horas da manhã, o homem é um pai de família correto e cumpridor de seus deveres deixando o lar para enfrentar a vida lá fora. A cidade chia e ferve e geme, expelindo fumaças, vapores, ruídos, partículas, palavras ao vento. O homem dirige seu automóvel com o pensamento distante: uma praia deserta, o deserto de Saara, um oásis, tâmaras. A pegada de Armstrong na Lua, estrelas, cometas — cosmo. E então o silêncio.

* * *

Você tem sido muito amargo e triste ultimamente, disse a mulher ao telefone na semana que passou. O homem no sinal fechado acelera imperceptivelmente e se pergunta: por que estou acelerando? Não há razão para pressa — mas haverá, então, para a amargura? O vermelho apaga, o amarelo acende, o homem cruza antes de ver o verde. E avança. E corre. E esquece. Para onde, meu Deus, para onde?

* * *

Congestionamento, buzinas, gritos. O homem lembra a notícia do jornal: mulher mata motorista por causa do trânsito. Os dedos do homem crispam-se ao volante. Faz calor e ele afrouxa o nó da gravata. Suspira, geme, bate com os dedos com impaciência sobre o volante. Olha para o lado, e lá está a fera: um ônibus com sua porta dianteira aberta. O homem olha o motorista com raiva e o motorista sorri.

* * *

Nem tudo está perdido.

* * *

Nem tudo está perdido. Era assim que sua avó paterna dizia, cheia de esperança, quando a terra se abria para tragar os pecadores, como se o lugar fosse o Armagedom e o dia fosse o do juízo, quem sabe final. Pobre avó. Pobre mulher. Uma lembrança apenas, mas tão doce. Tão simples. Tão cara.

* * *

O elevador. O relógio de ponto. O caminho pelo longo corredor até a sala. A mesa. O jornal do dia fala de crise, hecatombes, assassinatos, corrupção. O áspero comércio da carne fraca e do espírito enfermo. O homem pensa no cronista-poeta morto e acha que poderia sorrir se na página 38 do jornal descobrisse, surpreso, que uma rosa nasceu no asfalto. E nasceu.

* * *

Faz calor, a terra treme: a prefeitura explode as margens poluídas do rio, lá fora. O homem olha a draga revolvendo o infecto fundo do rio, fecha os olhos e pensa: lá fora, lá longe, um beija-flor suga mel dos lábios da menina. O homem sorri, comovido, e suspira. Viver vale a pena, apesar de tudo.

* * *

Olha os companheiros em volta, cada um com sua vida, seu trabalho, seu segredo, seu tão incerto destino. A mesa, a máquina de escrever, o papel. E então estas palavras.

Sobre o autor
Luiz Fernando Emediato, uma vida plena

Pintura a óleo de Rogério Bonato

Luiz Fernando Emediato nasceu em Belo Vale, Minas Gerais, em 1951, na casa dos avós maternos. A mãe dele tinha apenas 17 anos e preferiu ter o filho junto aos pais. Um dos primeiros arraiais de Minas Gerais, fundado por bandeirantes em 1681, Belo Vale foi povoada graças à descoberta de ouro nas Roças de Matias Cardoso (atual Roças Novas), em 1700. Ali chegou, em meados do século 19, o imigrante italiano Giuseppe Genaro Immediato, cuja filha, Anna Giulia (ela teve o nome na imigração alterado para Anna Julia Emediato) casou-se em 1882 com Simeão Fernandes de Araújo, o Simeão Velho, pai de Simeão Fernandes Emediato, o Simeãozinho, avô de Luiz Fernando. Simeão era fazendeiro no norte de Minas e dono de duas fábricas de laticínios, uma em Belo Vale e outra no oeste do Estado, onde José Maria Alves de Souza, o Juca Feroz, tinha uma fazenda de gado leiteiro. Os dois velhos resolveram casar seus filhos, e assim Antonio Trindade de Souza, 24 anos, filho de Juca, casou-se com Nancy Emediato, 15 anos, filha de Simeãozinho.

Antonio Trindade ficou milionário antes dos 30 anos, plantando e exportando algodão para vestir soldados norte-americanos na guerra da Coreia, no Sudeste asiático. Faliu quando a guerra acabou, e desde então passou toda a sua vida

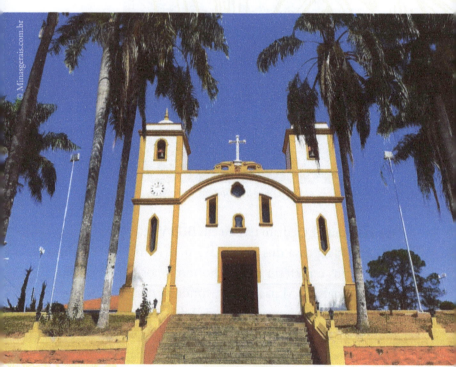

Igreja matriz de São Gonçalo, Belo Vale, MG

Simeão Fernandes de Araújo, de chapelão, ao fundo, no alto

Juca Feroz

Giuseppe Gennaro Immediato

Simeão Fernandes Emediato

Os irmãos Alves de Souza, de Abaeté: Ferrim, Deusdedith, Nicodemos, o "Tio Nicão" e José Maria Alves de Souza, o "Juca Feroz"

Nancy com os filhos Antonio Carlos, 3 anos, Suely, 1 e Luiz Fernando, 4, 1955

Nancy Emediato, 15 anos, e Antonio Trindade de Souza, 24, no dia do casamento, 1950

Com 1 ano. E aos 14, com uma prima, em frente à casa em que nasceu. Ao fundo, Macrina, que fez o parto dele

Antonio Trindade aos 75 anos: uma vida errante e aventureira de Quixote

O diretor de cinema André Ristum, o ator Eduardo Moscovis (que interpretou Antonio Trindade) e Luiz Fernando numa das estreias do filme "O outro lado do paraíso"

andando de cidade em cidade por Minas Gerais, o que marcou profundamente o futuro escritor. A epopeia desta família de imigrantes italianos e fazendeiros aventureiros marca toda a obra de Emediato. A história do pai errante rendeu um livro autobiográfico, *O outro lado do paraíso*, e um filme premiado com o mesmo título, dirigido por André Ristum.

Livro e filme contam a história de quando o pai levou a família para Brasília e de como seus planos foram destruídos pela instabilidade política da época.

Emediato era um menino tímido, gago e introspectivo em 1965, na cidade de Bocaiúva, no norte de Minas — onde agora Simeão tinha três fazendas — quando surgiu na escola uma professora de 26 anos, que, ao longo daquele ano e no próximo, fez na escola pública da cidade uma verdadeira revolução, abrindo as mentes de seus alunos para a vida e a literatura: Maria Antonieta Antunes Cunha, que também seguiu carreira junto aos livros, e que 55 anos depois escreve o texto de apoio para o estudante e o Material Digital do Professor para este livro.

No Festival de Cinema de Cannes, na França

Aos 15 anos, recebendo seu prêmio de melhor aluno das mãos da professora Maria Antonieta Antunes Cunha, em Bocaiuva, MG, 1966

Aos 21 anos, na praça principal de Matozinhos, MG, 1972

Aos 19 anos, em 1970, quando conheceu Sylvia Martins de Almeida, de 15, sua primeira mulher. Passaram 20 anos juntos

As revistas que ajudou a editar, nos anos 1970. Todas submetidas à censura dos governos de então e impedidas de circular

Os dois — Emediato e a professora — reencontram-se anos depois na Faculdade de Filosofia e Ciências Humanas da Universidade Federal de Minas Gerais — UFMG, onde ele, então com 20 anos, estudou Comunicação Social e ganhou seus primeiros concursos literários. Ainda na universidade, e enquanto trabalhava como estagiário na sucursal mineira do *Jornal do Brasil,* um dos principais jornais da época, Emediato ajudou a editar duas revistas, *Silêncio* e *Circus*, que foram impedidas

Com sua amiga desde os anos 70, a escritora Nélida Piñon

A primeira edição de seu livro de estreia, "Não passarás o Jordão", e a edição da editora do Pasquim que lançou os "novíssimos" contistas brasileiros

de circular, em 1974, durante o governo do general Ernesto Geisel. Influenciado ainda pelos escritores hispano-americanos dos anos 60 e 70, como Gabriel García Márquez, Emediato publicou numa revista da UFMG e na *Silêncio* os seus primeiros contos, reunidos depois em seu primeiro livro, *Não passarás o Jordão*, lançado em maio de 1977, antes de completar 26 anos.

Antes disso, em julho de 1971, aos 19 anos, quando estava provisoriamente na casa dos pais — em Matozinhos, interior de Minas Gerais —, Emediato recebeu a notícia de que havia vencido o prêmio Revelação de Autor no então famoso Concurso Nacional de Contos do Estado do Paraná. Esse concurso havia premiado, em anos anteriores, Rubem Fonseca, Dalton Trevisan e Lygia Fagundes Telles. O prêmio principal foi dado ao também mineiro Roberto Drummond, com quem Emediato passaria a ter uma intensa amizade, até a morte de Drummond, em 2002.

Emediato, Caio Fernando Abreu, Jeferson Ribeiro de Andrade e Julio Cesar Monteiro Martins

Os primeiros livros, anos 1970 e 1980 e uma das edições de "A grande ilusão", 1997

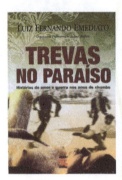 

"Trevas no paraíso", com todos os contos reunidos e uma reedição recente de seu primeiro livro, "Não passarás o Jordão"

Foi a partir desse prêmio que Emediato desistiu de estudar medicina — como queria seu pai — e decidiu ser jornalista, para sobreviver, e escritor, para se realizar. Ele seguiu publicando seus contos em suplementos literários e nas revistas que foram surgindo nos anos 70, tornando-se bastante popular no meio estudantil, então em efervescência.

A partir daí ele passou a se relacionar com grandes escritores brasileiros, como Carlos Drummond de Andrade, Rubem Fonseca, Sérgio Sant'Anna, Adão Ventura, Roberto Drummond, Oswaldo França Júnior, Raduan Nassar, Ignácio de Loyola Brandão, Ziraldo, Nélida Piñon, Deonísio da Silva, Murilo Rubião, Fernando Morais, Antônio Callado e outros.

Várias edições dos livros infantis, desde 1977 nas livrarias e escolas do país

E as duas edições recentes, com ilustrações de Thais Linhares

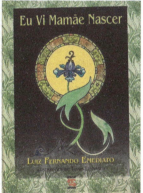

Em 1976, Emediato participou da antologia de contos *Histórias de um novo tempo*, publicada com estardalhaço pela nova editora Codecri, do semanário *Pasquim*. Junto com ele, os novos escritores Antonio Barreto, Jeferson Ribeiro de Andrade, Domingos Pellegrini Junior, Caio Fernando Abreu e Julio Cesar Monteiro Martins, este com apenas 21 anos. A antologia foi um sucesso. Nessa mesma época passou a ser um dos editores da revista *Inéditos*.

*Em fevereiro d[e]
1977, aos 25 anos[,]
na redação do Jorna[l]
do Brasil em Bel[o]
Horizonte. Estudant[e]
de Comunicaçã[o]
e jornalista j[á]
precocement[e]
conhecido, por su[a]
combatividad[e]*

Em 1977, o repórter em uma de suas muitas aventuras. Aqui, navegando pelo Rio São Francisco

Emediato publicou mais dois livros de contos imediatamente, *Os lábios úmidos de Marilyn Monroe*, com prefácio de Antônio Callado, em 1978, pela Editora Ática; e *A rebelião dos mortos*, em 1979, pela Editora Codecri. Em 1977, já havia publicado um livro infantil sobre a morte, *Eu vi mamãe nascer*, e em 1981 saiu a pequena novela *O outro lado do paraíso*. Em 1982 publicou em livro uma grande reportagem — *Geração abandonada* — que tinha saído em capítulos no jornal *O Estado de S. Paulo* e ganhara o Prêmio Esso de Jornalismo, o maior da categoria.

Em 1979, em missão jornalística pelo jornal O Estado de S. Paulo, no Vale do Jequitinhonha, MG

Em 1992, finalmente, editou em livro uma seleção de suas crônicas do Caderno 2 de *O Estado de S. Paulo*, este mesmo que estão lendo agora, e que em 1997 (com seleção diferente da atual) foi distribuído pelo MEC nas escolas públicas do país; o famoso livro "da borboleta azul" que encantou milhares de adolescentes do ensino médio.

Sua estreia em livro foi saudada com vigor. Renato Pompeu, na revista *Veja*, escreveu que o jovem autor chegava com "uma prosa moça e eficaz, que não se encontra em busca do conto perfeito e está condenada ao sucesso [...] Ele ainda não pode ser considerado o Castro Alves da Revolução de 1964, mas sua obra tem valor útil e vivificante e vem enobrecer o conto brasileiro, hoje tão perdido em busca de uma perfeição oca. Pelo contrário, Emediato tem o que dizer e o diz de peito aberto". Ayres da Matta Machado Filho, em *O Estado de S. Paulo*: "Nos seus vinte e cinco anos, o autor sofre, em linguagem tensa e

Em missão na rodovia Transamazônica, em 1978 e 1980. São 4.260 quilômetros de Cabedelo, na Paraíba a Lábrea, no Amazonas. Na primeira viagem, fez também o trecho de Santarém a Cuiabá, com mais 1.780 quilômetros

Diante de um acampamento da Funai na selva amazônica, depois de um ataque dos índios arara, em processo de "atração". Um dos funcionários teve as bochechas atravessadas de lado a lado por uma flecha, mas sobreviveu

vibrátil, esse nosso mundo de absurdos e violência, mediante ficção precocemente amadurecida. Emediato representa na literatura brasileira de hoje a juventude que se dilacera, na tristura e no desencanto".

"Tamanha angústia, apertada até o heroísmo, é rara na ficção brasileira atual", escreveu o crítico José Maria Cançado no *Jornal do Brasil*. "Emediato tira da vida o documento mais pungente", escreveu Carlos Drummond de Andrade. "O repúdio do jovem escritor mineiro às anomalias políticas e sociais adquire, às vezes, o tom de indignado comício" (Hélio Pólvora, revista *Veja*).

Na redação do jornal O Estado de S. Paulo, *1986*

Capa do Caderno 2 que desesperou a cantora Rita Lee

Em 1983 publicou em livro sua até agora única peça teatral, *Ekhart, o Cruel,* que misturava técnicas do teatro elisabetano com as irreverências de Alfred Jarry (1873-1907), simbolista francês, inspirador do surrealismo e do teatro do absurdo, e Antonin Artaud (1896-1948), surrealista e anarquista também francês, que foi expulso do movimento surrealista por se recusar a se filiar ao Partido Comunista. *Ekhart, o Cruel* foi montada em 1984 em São Paulo, e o famoso crítico teatral Sábato Magaldi escreveu duramente que Emediato, com seu texto, tivera "um tombo à altura da pretensão". Mas a peça foi montada depois em Brasília, com grande sucesso, e em várias outras capitais do país. Emediato não se abalou com a pesada crítica de estreia, mas não voltou ao teatro. Tem, guardada numa gaveta, a peça intitulada *A casa ou Eu não vou permitir indecências sob este teto sagrado* — com personagens inspiradas nas tragédias gregas.

Com o jornalista Boris Casoy, 1988, às vésperas de revolucionar o telejornalismo brasileiro

Desde 1984 até os dias de hoje, Emediato não publicou nenhum outro livro. Todos os seus contos e novelas foram reunidos com organização do escritor Luiz Ruffato em um único volume intitulado *Trevas no paraíso*. As demais obras são sempre reeditadas e trabalhadas por professores em sala de aula, em escolas públicas e privadas de todo o país.

Quando lhe perguntam por que interrompeu sua produção literária, ele responde secamente: "por causa de minha dedicação ao jornalismo e à ação política e social, que dão resultados imediatos". De fato, a carreira jornalística foi fulgurante. Além do Prêmio Esso, nacional, ele ganhou o Prêmio Rey de España,

Em missão no interior da China, 1995, nos primórdios do crescimento daquele país

considerado o *Pulitzer* da Ibero-América, por sua frenética cobertura das revoluções e guerras civis na América Central (Nicarágua e El Salvador). Ele também viajou duas vezes pela Transamazônica, pelo Vale do Jequitinhonha, em Minas Gerais, visitou a Coreia, o Japão e a China, antes e depois do crescimento desse país.

Emediato trabalhou cinco anos no *Jornal do Brasil*, no qual Carlos Drummond de Andrade era cronista; dez anos no jornal *O Estado de S. Paulo* e dois anos e meio no SBT. Em toda a sua carreira jornalística, escreveu sempre o que quis e da forma como quis, com o respeito de seus chefes, que jamais interferiram em seus textos — mesmo que fosse contra a opinião dos donos dos veículos de comunicação. Em 1986, juntamente com o jornalista Alberto Villas, ele criou o Caderno 2, suplemento de artes, variedade e cultura do "Estadão", com absoluta liberdade para se dirigirem ao público jovem, que estava abandonando o jornal.

Em 1988, ele foi chamado para ser diretor-executivo de Jornalismo do SBT, e ali inaugurou um modelo de apresentar notícias que revolucionou o telejornalismo brasileiro. Até então os telejornais eram apresentados por locutores que apenas liam as notícias. Com a contratação do jornalista Boris Casoy — o primeiro "âncora" da televisão brasileira — o jornalismo na TV passou a ter interpretação de notícias e opinião, hoje uma coisa comum.

Suas reportagens sobre os conflitos políticos e sociais e a guerrilha comunista na América Central, no *Estado de S.Paulo*,

O Prêmio Esso de Jornalismo, em 1982

O Prêmio São Paulo 1982 de Literatura e uma inusitada "comenda" concedida por um governador racista norte-americano, em 1984

na época um dos jornais mais influentes do mundo, e com representação importante na Sociedade Interamericana de Imprensa — SIP, levaram o Departamento de Estado norte-americano a convidá-lo, em 1984, para uma visita de 40 dias aos Estados Unidos. Uma longa maratona, durante a qual visitou o país de costa a costa, participando de palestras, seminários e até de um rápido encontro, na Casa Branca, com o presidente Ronald Reagan, em campanha para a reeleição. No Alabama, governado na época pelo racista George Wallace, foi nomeado com

Com os meninos guerrilheiros da Frente Farabundo Martí em El Salvador, 1981. A pose com o fuzil era obviamente uma brincadeira. Foto de Juca Martins

Diante do Muro de Berlim e com a filha Fernanda Emediato em Frankfurt, na Alemanha, anos 2011

o inusitado título de "tenente-coronel honorário" da milícia daquele estado, com diploma assinado pelo próprio governador.

O jornalismo, de fato, absorveu bastante o cada vez menos prolífico escritor. Ele fez constantes viagens pelo país, para escrever sobre conflitos de terra, a frustrada colonização ao longo da Transamazônica (que percorreu duas vezes, em 1978 e 1980) e viajou para várias partes do mundo, como China (onde esteve antes e depois do crescimento econômico), Japão, Coreia e boa parte da Europa.

Mas não foi apenas o jornalismo que desviou Emediato da literatura. De 1994 a 2014, participou ativamente da vida econômica, política e social do país, seja como conselheiro de organizações não governamentais, seja como consultor de políticas públicas de governos e até — experiência da qual se arrepende parcialmente — como o principal assessor de um ministro do Trabalho, Brizola Neto, durante o primeiro governo de Dilma Rousseff. "Aceitei

Com o filho Antonio, seu frequente companheiro de viagens, em Havana, Cuba

essa missão por carinho ao neto de Leonel Brizola, que eu mal conhecia. Meu pai era admirador de Brizola, e vi ali uma forma de lhe fazer uma homenagem, mas pouco conseguimos fazer no governo, que já estava em crise", diz ele.

Luiz Fernando Emediato casou-se três vezes. Do primeiro casamento, com Sylvia Martins de Almeida, teve três filhos, Alexandre, nascido em 1976, Rodrigo, em 1979 e Fernanda, em 1982. Do segundo, com Ana Paula Anselmo, teve um, Antonio Anselmo Emediato, nascido em 2005. E do terceiro, com Ádyla Gonçalves Maciel, uma filha, Serena, nascida em 2016. Seus filhos são várias vezes citados em suas crônicas.

Com Sylvia, a primeira mulher, uma criança não identificada e os filhos Rodrigo e Alexandre, 1981

Com Ana Paula, a segunda mulher, mãe de Antonio, no Palácio de Versalhes, na França. Com Fernanda e Antonio Emediato falando de seus livros em um evento e com Antonio no deserto de Atacama, no Chile

Com a ex-mulher Sylvia e os filhos Rodrigo, Fernanda, Alexandre e Antonio no casamento de Rodrigo, 2014

Com a ex-mulher Ádyla Maciel, poeta, e os dois com a filha Serena, em casa, 2019

Seu refúgio na Serra da Cantareira, ao norte da capital de São Paulo, a maior floresta urbana do mundo

Atualmente ele vive e escreve em uma casa situada na Serra da Cantareira, em um raro núcleo habitacional que faz limite com a maior floresta urbana do mundo, no Parque Estadual da Cantareira, ao norte da Capital de São Paulo.

Em 1990, Emediato deixou o jornalismo e fundou uma editora de livros, a Geração Editorial, que se dedicou a uma linha ampla de atuação, com ênfase em História Contemporânea e Jornalismo. Em 2012, estreou na produção cinematográfica.

No entanto, decidiu recentemente retomar a carreira de ficcionista. Anunciou que está tentando concluir um romance iniciado há 35 anos — *Perdição — memórias falsas de um canalha*; uma novela ambientada na Palestina, *A terra era vaga e vazia*, e um livro de contos, *Elas*, em que todas as protagonistas são mulheres.

A grande ilusão

Em busca do sonho, das utopias e da felicidade

*Por Maria Antonieta Antunes Cunha**

UMA CONVERSA SOBRE A OBRA

Cara Leitora, Caro Leitor,

O livro que acabaram de ler, *A grande ilusão*, é a edição especial da obra com o mesmo título, da qual o autor, Luiz Fernando Emediato, selecionou as crônicas que lhe parecem mais adequadas para vocês, estudantes do final do Ensino Médio das escolas brasileiras.

É bom lembrar que, antes de se tornarem livro, em 1992, essas e muitas mais foram publicadas, de 1986 a 1988, no Caderno 2 do jornal *O Estado de S. Paulo*, onde o jornalista e escritor já vinha atuando desde 1978. Ele escrevia aos domingos, e suas crônicas eram ansiosamente esperadas por um enorme público, cativo de suas reflexões e histórias. Uma seleção dessas crônicas foi publicada pela primeira vez em livro em 1992.

---

*Maria Antonieta Antunes Cunha é professora de estudantes e de professores. Foi professora doutora na Universidade Federal de Minas Gerais – UFMG, secretária de Cultura da prefeitura de Belo Horizonte, em 1993, na gestão de seu ex-aluno, Patrus Ananias e consultora do MEC. É autora dos livros "Literatura infantil – teoria e prática", "Ler e redigir", "Como ensinar literatura infantil", "Mergulhando na leitura literária", "Poesia na escola", "A comicidade em Maria Clara Machado" e outros.

Sobre as atividades do autor, ao longo da vida, ligadas ou não a esta coletânea atual, há uma extensa biografia, neste livro, que vocês provavelmente já terão lido. O autor fala de seus prêmios literários e jornalísticos com a mesma desenvoltura com que fala também, coisa rara entre escritores, de seus poucos fracassos. Como quando escreve sobre a primeira encenação da única peça que escreveu, *Ekhart, o Cruel*, massacrada, na estreia, pelo maior crítico teatral do país. Mas nem as crônicas criadas para a coluna dominical nem a biografia "oficial" falam do primeiro prêmio da vida dele, certamente menos importante do que os que se seguiram.

Emediato ainda morava na pequena cidade mineira de Bocaiúva e terminava o que, na época, se chamava o curso ginasial, correspondente ao Ensino Fundamental 2. Na solene festa de formatura, a professora paraninfa das turmas da quarta série do ginásio, sem aviso prévio, vai premiar, de surpresa, os três melhores alunos, incluindo as duas turmas — a da manhã e a da noite. E foi com ar de espanto, olhos escancarados, que o adolescente Luiz Fernando Emediato ouve seu nome, anunciado como o primeiro entre todos e chamado para ir ao palco receber seu prêmio: acanhado e introvertido, normalmente sentado mais ao fundo da sala, talvez não tivesse ideia de seu belo aproveitamento nos estudos. Certa vez, lembrando o episódio, ele disse que o primeiro lugar coubera ao hoje deputado federal Patrus Ananias de Souza, seu colega da turma da manhã, mas a professora garante que foi o contrário. (Na época, muito nova na cidade e na profissão, ela distinguiu os três prêmios para os primeiros alunos. Hoje, ainda ligada a distribuições de prêmios a estudantes leitores, ela não estabelece "lugares": premia igualmente os que se destacaram... Parece, de fato, mais justo.) Aquele era o mesmo aluno, Luiz Fernando, que, naquele mesmo ano, 1966, nos empréstimos que a professora fazia aos alunos de livros de sua biblioteca, e para espanto dela, quis levar para casa nada mais nada menos do que a obra-prima de João Guimarães Rosa, *Grande sertão: veredas*, com suas mais de 500 páginas de uma narrativa belíssima, mas difícil. Levou, leu e escreveu a respeito!!!

Mais tarde, a mesma professora, na década de 1970, já na Faculdade de Letras da Universidade Federal de Minas Gerais — UFMG, em Belo Horizonte, coordenando o concurso literário oferecido aos alunos de todos os cursos da Universidade (eles inscreviam seus textos com pseudônimo), deparou com o nome de Luiz Fernando Emediato, ele mesmo, de novo, premiado também aí, em prosa e em poesia também, embora a poesia fosse dominada por outro hoje grande escritor mineiro, Antônio Barreto. Os dois se distinguiram tanto entre os inscritos, em dois anos seguidos, que a professora resolveu intimar ambos a não se inscreverem mais no concurso, para dar oportunidade a outros candidatos a escritores. Não sabemos se ela conseguiu falar com o então aluno de Jornalismo Luiz Fernando, mas com o estudante de Letras Antônio, ela chegou a ter essa conversa. Ela deixou a coordenação do concurso e nunca soube se foi obedecida sequer por Barreto...

Voltemos às crônicas de *A grande ilusão*: por que esse cuidado, rigor mesmo, nesta atual seleção de suas páginas de domingo para se tornar um novo "livro", e com acréscimo de novos textos, escritos recentemente?

O gênero crônica é certamente o mais lido no Brasil, pelos mais diferentes públicos — dos intelectuais aos iniciantes no campo da leitura — às vezes ainda no Ensino Fundamental. Os teóricos da literatura dizem mesmo que o gênero, nascido muito sério e às vezes mal-humorado, como ensaio, na Europa do século 19, e importado para os jornais brasileiros, foi aos poucos ganhando padrões nacionais, entre os quais a leveza no tratamento de acontecimentos do cotidiano e a aproximação dos leitores por uma linguagem marcada pela coloquialidade, o que foi determinante para a classificação da crônica como gênero "essencialmente brasileiro". (Cá para nós: não foi isso que ocorreu com o esporte mais popular do mundo, o futebol, nascido nos campos bretões, e em campos brasileiros ganhou uma "segunda nacionalidade" que quase fez desaparecer a primeira?)

Mas esse sempre claro parentesco com o jornal, que a acolheu e cujo objeto é por princípio, como dizemos, "altamente perecível" — a notícia do dia, que tende muitas vezes a não durar mais do que 24 horas (estamos, aqui, relembrando uma antiga canção brasileira, cheia de paixão, cuja letra começava assim: "Para mim, você é jornal de ontem: já li, já reli, não serve mais..") — além da alegada rapidez com que deve ser criada e seu pequeno espaço, tudo isso acabou por tornar a crônica o que chamam de "gênero menor", não comparável ao romance, ao poema, ao texto dramático ou mesmo ao conto.

Certamente não é comparável, e nossa pergunta é: e por que compará-la? Os gêneros podem ter elementos comuns, mas seus criadores querem suas criações sempre incomparáveis — façam os paralelos que quiserem. Como muito bem classificou Antonio Candido, notável estudioso da literatura, especialmente a brasileira, a crônica é "a vida ao rés do chão", e seu assunto são as miudezas do cotidiano, que formam a vida de todos nós, matéria de interesse geral, com a qual, de alguma forma, todos se identificam. A crônica não pretende ser mais do que isso — o que não a impede, como frisou o mesmo Candido, de muitas vezes ser "inesperada embora discreta candidata à perfeição". É o que interessa a cada criador: no gênero que escolheu, fazer a obra literária mais interessante e acabada.

Porque, sujeitas as crônicas às intempéries do tempo, seus criadores, quando convidados a transportá-las para a forma "imperecível", ou mais definitiva, de livro, fazem uma rigorosa seleção das páginas que saíram nos jornais, e, com seus critérios de severidade quanto à sua própria produção, definem as que vão virar obra impressa e exposta nas livrarias.

Luiz Fernando Emediato, nesta obra que vocês leram, fez isso duas vezes: em 1992, escolheu, com seus critérios estéticos e éticos, entre suas incontáveis páginas dominicais, as que ele incluiu na primeira e seguintes edições da obra, publicada pela Geração Editorial. E fez agora, em 2021, para a leitura de vocês preferencialmente, uma segunda seleção, agora marcada sobretudo pela qualidade literária, sim, mas também pela busca dos temas que mais poderiam agradar aos jovens de hoje, com suas inquietações, aspirações e seus questionamentos em torno da vida, do nosso país e do mundo.

E cá estamos diante de *A grande ilusão*, dividida em temas, da família ao devaneio — este momento tão especial tratado por um grande estudioso como o do "sonhador diurno", que o leva à imaginação criadora e construtiva.

Talvez, antes de lerem a obra, tenham feito a pergunta: mas por que ler crônicas de 30 anos atrás? São tantos cronistas tão importantes, escrevendo hoje nos jornais e na internet, sobre questões de hoje!

Se tiveram essa dúvida, antes de abrir o livro, tiveram uma boa parte de razão: afinal, estão aí Marina Colasanti, Luis Fernando Verissimo, Ignácio de Loyola Brandão, Mário Prata e o filho, Antônio, Humberto Werneck, para citar bem poucos, em franca atividade também de cronistas. Mas essa é uma parte da razão. Todos esses e muitos outros precisam ser lidos. Nossa pergunta é: e vocês deixarão de ler Carlos Drummond de Andrade, Rubem Braga, Manuel Bandeira, entre tantos outros, porque são cronistas mortos, e, portanto, não podem escrever "crônicas de hoje"? Os temas eternos que eles abordam, além da arte literária, perfeitamente encontrável na crônica, os tornam autores para hoje e sempre.

Mas temos certeza de que, depois de ler as 40 crônicas que compõem este livro, essa pergunta seria impertinente: seguramente, constataram que, além da qualidade literária de seus textos, os temas que geram as páginas jornalísticas de Emediato dizem respeito a questões atemporais, como lembranças da infância, a família, nossas procuras, em qualquer idade, ou problemas políticos e sociais vividos ou presenciados, aqui e lá fora, os quais, se aconteceram algum tempo atrás, não estão, de forma alguma, impossibilitados de voltar — se é que ficaram todos para trás.

Um grande autor francês, ganhador do Nobel de Literatura de 1957, Albert Camus, cuja obra recomendamos vivamente, tem um romance intitulado *A peste*, no qual seu narrador-personagem, o médico Dr. Rieux, que enfrenta por longo tempo o absurdo da doença, até conseguir debelá-la, alerta para a necessidade de cuidado e vigilância, porque as pestes (no romance, uma metáfora das guerras) podem ficar adormecidas por muito tempo e reaparecerem. Da mesma forma, regimes totalitários, aparentemente de repente, reaparecem, como as injustiças sociais podem ganhar mais força. Então, termos alguma informação, não apenas dos livros de História, mas do testemunho de quem vivenciou os maus momentos históricos, é uma forma de nos pôr alerta. Além do mais, independentemente da vigilância, a solidariedade com tais pessoas e com tais relatos nos humaniza.

A propósito, Carlos Heitor Cony, grande romancista e cronista brasileiro, que vocês devem conhecer, tem uma frase interessante sobre a literatura, que citamos para vocês: "Mas, enfim, sem literatura, um povo não tem história. A 'história oficial' não interpreta a 'história experimentada'. Quem faz isso é a literatura".

Mas devemos fazer uma revelação a vocês, completando a informação anterior, em torno da seleção das crônicas para esta edição: o autor achou por bem retirar aquelas criadas no calor da ira, no quase momento de uma injustiça ou arbitrariedade, ou da indignação diante do quadro de crianças mortas numa guerra civil sem sentido (se é que alguma tem sentido), sem deixar de apresentar as mais significativas delas. Nestas, ele optou por excluir identificações de pessoas cujos atos não as enobrecem e que, vivas ou mortas, podem ter repensado suas ações e se terem distanciado delas. É importante conhecer os fatos, para sabermos avaliar o seu significado na História de um país ou do mundo, mas os nomes tornam-se dispensáveis: basta saberem os leitores que o cronista não mentiu e que ele não precisa, de forma alguma, apresentar outro documento além da sua palavra. E isso vale tanto para fatos políticos como para os literários, ou os policiais.

Outra diferença entre a primeira publicação e esta é a reunião das crônicas em eixos temáticos, o que torna mais evidentes as grandes questões existenciais que o autor considerava importante compartilhar com os outros. Assim, o tom memorialista da grande maioria, entre a confidência e a denúncia, passeia por assuntos de família, dos próprios leitores com os quais dialoga, de perfis interessantes, das eternas buscas, dos devaneios e perguntas, com um pequeno intervalo para depoimentos de hoje.

Mas comentemos, agora, o nosso livro de crônicas.

Vocês terão notado uma característica que, em alguma medida, acompanha toda obra de arte e, mais ainda, a crônica: a importância que Emediato atribui a seu leitor, com quem ele dialoga insistentemente, no texto dominical. Mas ele mais que dialoga na crônica: ele troca correspondência com seus leitores, seja por meio do próprio espaço do jornal, como vocês viram, seja mesmo fora dele.

Assim, não se trata da óbvia, mas vaga e intemporal relação que o escritor pretende com um leitor: como já salientamos, sua crônica era esperada ansiosamente por seus leitores, que lhe davam retorno, questionando, apoiando, esperando dele uma atitude ou uma palavra.

Boa parte disso decorre de sua disposição (mais comum, em alguma medida, na crônica) para a confidência e a exposição, o que lhe permite revelar-se por inteiro, seja retomando sua infância pobre e por vezes dolorida, mas com importantes descobertas (como a da música de Händel); seja revelando suas muitas interrogações sobre a vida e Deus; seja escancarando seu desencanto político e denunciando as injustiças sociais, e a maior delas: a guerra, dentro ou fora de um país. (E o pior é quando elas vêm disfarçadas em "segurança"...)

Questões relativas ao regime do governo brasileiro, obviamente, foram tratadas por vários escritores e cronistas, antes e a partir de 1964, quando o governo do país é assumido por militares, e a produção de Emediato é precedida pela de vários intelectuais, escritores e artistas com atitudes muito semelhantes às dele. Suas crônicas aparecem no final do regime militar, como vocês perceberam, e à época escreveu Carlos Menezes, do jornal *O Globo*: "Apesar de politicamente engajado, a ficção de Emediato não tem conotações partidárias ou doutrinárias, estando mais comprometida com o homem, suas frustrações, suas esperanças, seus anseios de independência e liberdade".

Com relação aos temas mais intimistas, lembremos: mais talvez do que a maioria dos cronistas, temos sempre Emediato diante do leitor, e ambos se entendem, se consolam, se gostam. Para esse encontro quase sempre amoroso (de todo modo, marcado por algum tipo de sentimento), a crônica é o gênero mais adequado: marcada sistematicamente pela dimensão (em geral, curta, pelo próprio veículo — jornal ou revista), por seu espaço e dia marcados, a crônica permite a mais absoluta liberdade de estilos e temas: admite o choro e o riso, a confissão e a denúncia, a lembrança dos episódios pessoais e sociais mais tristes às mais vibrantes e universais utopias. Admite até o disfarce do autor em outro, o recado direto a um ausente, que talvez nem o leia, e mais o que ele invente: o leitor estará ali do seu lado, cúmplice de sua palavra.

Com relação a seus temas, vocês devem ter percebido aquilo que vamos chamar de a incansável procura, ainda que se considere um cético, aquele que cultiva a dúvida: tem sempre um "Será?..." diante de tudo. Mas suas crônicas revelam uma constante busca do que possa haver de melhor, individual ou coletivamente, no ser humano.

Vejam o caso de Deus: ele é um de seus assuntos preferidos. Garante que ele não existe, mas tem a Bíblia como uma de suas leituras de eleição. E, da Bíblia, a grande maioria das citações dizem respeito a valores da humanidade, e de esperança. Em uma de suas crônicas, ele garante que vai terminar seu romance, em preparação há décadas, "se deus quiser". Vocês podem argumentar que essa é apenas uma expressão da língua, automática e protocolar. Não acreditem nisso: ainda mais em um escritor marcado pela consciência, isso não é por acaso.

Emediato escreve Deus com minúscula — deus — mas nem esse uso de minúscula para um nome próprio, que a gramática de todas as línguas obriga seja escrito com maiúsculas, importa no caso: quanto mais ele tenta destacar o "incréu", tornando o substantivo comum, e não próprio, mais o autor mostra o quanto a figura de Deus o fascina. (A sábia Tia Nastácia, maravilhosa cozinheira criada por Monteiro Lobato, taxativamente disse, um dia, diante da dúvida sobre a existência de algum ser, lá no maravilhoso Sítio do Picapau Amarelo: "o que tem nome *existe*!")

Nossa opinião é a de que, a qualquer momento, ele cruza com Deus por aí...

A mesma desconfiança parece marcar as crônicas de nosso autor com relação às atitudes e aos comportamentos humanos — individuais ou grupais, marcados muitas vezes por fragilidades e baixezas das mais diversas dimensões e consequências. Mas, também, nestas crônicas, com os desencantos e todas as denúncias, o cronista acredita em situações melhores. De novo, é a própria língua que vai nos mostrar isso.

Vocês notaram quantas vezes o autor usa a palavra " esperança" e seus derivados? Observaram a presença da palavra "sonho", no sentido de "aspiração", e seus derivados, que aparecem sobretudo nos devaneios? Pois nós fomos contar o número em que esses termos surgem nas suas crônicas: "esperança" e derivados aparecem 23 vezes, e "sonho" e derivados, 42 vezes! Emediato revela, ainda que aponte o contrário, a sua (e a nossa) necessidade mais absoluta da esperança e do sonho, sem o que a vida não faz sentido.

A essas duas palavras podemos ainda acrescentar outras duas, muito presentes nas crônicas de Emediato, com significado na mesma linha, uma delas apresentada no título: "utopia" e "ilusão". Nesse sentido, bem disse, certa vez, o médico e guerrilheiro Che Guevara, que atravessou a América do Sul falando em justiça social: "Sejamos razoáveis: busquemos o impossível."

Assim, é entre esses sentimentos aparentemente contrários — entre o desencanto e a esperança, entre a negação de Deus e as citações da Bíblia — que ele nos fala de grandes homens, como Henfil, e de pobres anônimos em busca de uma fotografia para lembrar o irmão; da fragilidade humana e de suas enormes conquistas; de seus queridos filhos e de crianças assassinadas.

Em tudo, move o autor a paixão, nunca o relato frio do observador imparcial do cotidiano: suas crônicas não têm personagens — têm pessoas; não narram acontecimentos de ficção: são fatos vividos ou testemunhados. Mesmo quando fala na terceira pessoa, sabemos de quem ele fala. É o próprio autor o homem que segura, à beira da praia, a frágil mão da filhinha; é ele mesmo que, diante do espelho, descobre os primeiros cabelos brancos; é ele também que olha à sua volta, e vê que, em casa e no trabalho, as coisas estão funcionando — momento de felicidade!; ou que se interroga sobre o passar do tempo, das lutas e das vitórias e dos fracassos, sobre as ilusões pequenas ou grandes.

Acreditamos que é por essa entrega aparentemente sem reservas que o cronista conquistou tantos leitores, que — acreditem! — continuam fiéis correspondentes do cronista, mesmo tendo deixado há tanto tempo sua atividade dominical no jornal. A orelha deste livro traz um depoimento sincero e delicado de uma de suas mais fiéis leitoras, uma mineira da Grande Belo Horizonte. A "Reapresentação", feita pelo autor, nas primeiras páginas deste livro, também vai nesta direção.

E imaginamos que, tendo feito tantos leitores para a vida inteira, lá atrás, certamente estas crônicas terão agradado a vocês: afinal, família, amigos, sonhos e aventuras têm sempre o sabor muito parecido para todos.

E os problemas sociais e políticos? Bem, os regimes de governo mudam, a sociedade justa pode demorar a chegar. E é o sonho de que ela chegará, um dia a receita que o escritor tem para dar a cada leitor, se ele quer sentir o coração pulsando e a imaginação buscando caminhos que nos tornem melhores e mais felizes.

Agora, algumas observações finais, antes de nos despedirmos.

Essas considerações sobre *A grande ilusão* são apenas o início de uma outra conversa, mais longa e mais próxima, que vocês terão com seus professores de Língua Portuguesa e de outras áreas sobre o livro.

Depois da primeira leitura solitária que cada um fez e da qual saiu com entusiasmo, maior ou menor, com questionamentos, sobre a vida e o mundo, é hora de abordar mais a fundo vários aspectos da crônica e do cronista Luiz Fernando Emediato, de seu estilo e de suas ideias. E, a partir desta obra, nos abrirmos todos, cada vez mais, para a música, para o cinema, para outras artes e outras experiências, e descortinar horizontes e possibilidades — o que significa, afinal, nos abrirmos para o entendimento possível do mundo e de nós mesmos.

Insistimos sempre neste ponto: tão importante quanto essa primeira leitura que vocês fizeram, cada um com suas intuições e suas preferências, é essa "segunda leitura", feita sob a batuta dos professores, e em conjunto com seus colegas. Vocês já terão tido esta experiência: perceber como a mesma obra literária possibilita tantas leituras, tantas interpretações, tantas reações diferentes!

Quanto mais livre tiver sido a primeira leitura de cada um, mais claras ficam as diferentes leituras de uma obra. Por isso, lutamos desde sempre, como educadores, para que a apresentação da obra, seja na página do jornal, seja no catálogo da editora, seja na sala de aula, nunca seja muito "reveladora": suas surpresas narrativas ou poéticas, tanto quanto a interpretação da visão de mundo do autor, devem ser uma descoberta pessoal de cada leitor. Revelá-las, como se isso fosse o motivo para se procurar as páginas do livro, é impedir que o leitor, do seu jeito, com suas experiências de vida, seus valores, suas crenças e opiniões, tenha seu próprio encontro com a obra, defina seu envolvimento com ela, talvez para a vida toda.

É dessa primeira, espontânea e autêntica reação diante de uma obra de arte que pode e deve surgir, sobretudo para os professores, o melhor movimento para a segunda leitura, exatamente preparada para evidenciar os muitos e talvez inesgotáveis ângulos de uma obra de arte, e, portanto, da literatura.

Se divergências são observadas, nas mais diversas situações do cotidiano, com relação a temas mesmo desimportantes, com mais razão acontecerão quando tratamos de uma obra de arte. Afinal, temos uma importante linguagem informativa, em muitas comunicações, predominante, por exemplo, no livro didático, nas obras científicas, nos comunicados dos síndicos de prédio ou de uma loja, que busca ser o mais clara possível, procurando a todo custo fugir da menor possibilidade de entendimento duplo, ou interpretações diferentes de um mesmo dado, pelo que usa predominantemente a denotação. Mas outra coisa é a linguagem da arte, que se quer, essencialmente, ambígua e tem como característica principal a linguagem conotativa, carregada de novos sentidos, interpretados diferentemente pelas pessoas, segundo idade, experiências de vida e de cultura — todas válidas e desejáveis no campo da arte, e mais ainda, talvez da literatura.

E o que a arte deseja é isto mesmo: mostrar que nada tem um ângulo só, tudo merece ser olhado de muitos lados, para sua melhor compreensão. E quanto mais ângulos a observar tem a obra, mais rica ela será, e mais ajudará o leitor, na percepção do outro e de si mesmo.

A segunda leitura não pretende anular as diferentes interpretações e reações diante de uma obra: pretende, ao contrário, iluminar para os leitores esses novos ângulos dela, o que, se não a torna mais envolvente, mostra sua riqueza e convida cada um a reflexões em torno de questões que não tinham sido percebidas. Sem dúvida, isso é sempre uma forma de cada um alargar seu entendimento da vida e seu modo de estar no mundo.

Costumamos dizer que a obra de arte, especialmente a literária, é uma lição de democracia, na medida em que, oferecendo tantas possibilidades de entendimento, quase sempre legítimas, mostra a cada leitor que ninguém é dono da verdade, que nem temos certeza de que haja uma verdade, e por isso mesmo todas as verdades (ou quase todas, talvez) são respeitáveis. O respeito pela divergência e pelas diferenças começa aí.

E é essa experiência múltipla e rica que vocês farão com seus professores, em torno de *A grande ilusão*. Tão rica, que não iluminará apenas ângulos desta obra: vai possibilitar que cada um de vocês vá incorporando experiências, saberes e intuições, que tornarão suas primeiras leituras — de qualquer arte e de qualquer situação da vida — mais argutas, mais sensíveis e possivelmente mais adequadas e abertas para a leitura da vida e do mundo.

Boa (re)leitura, e boas discussões e experiências!